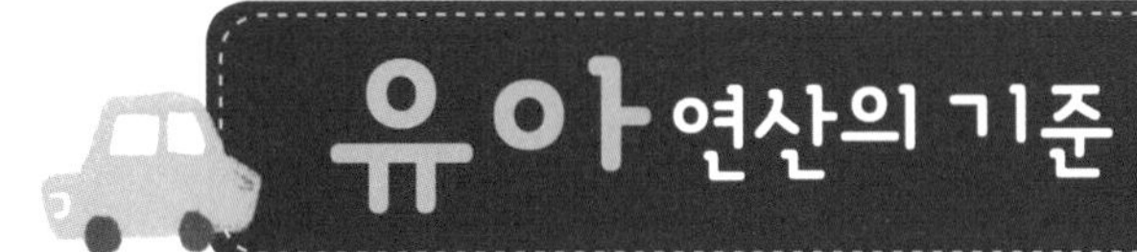

칸토의 연산

20까지의 수에서 더하기·빼기 1, 10

머리말

“취학 전 우리 아이가 해야 할 수학은?”

아이를 키우는 부모님이라면 하나같이 우리 아이가 수학을 좋아하고 잘했으면 하는 바람일 것입니다. 수학에 대한 안 좋은 기억이 있으신 부모님들이라면 더더욱 걱정과 조바심 속에 초등학교 가기 훨씬 전부터 아이에게 여러 문제집을 풀게 하며 수학에 많은 시간을 사용합니다. 지금까지 아이가 푼 문제집을 쌓아 올리며 부모님 스스로가 뿌듯해 하기도 합니다.

그런데 아이가 수학을 잘하기 위해 초등학교 입학 전에 해야 할 가장 중요한 것은 무엇일까요?

수학에 관심을 갖고 수학에 재미를 느끼는 것입니다.

그러나 현실은 그렇지 않습니다. 아이들은 방대한 양의 반복된 문제를 풀며 가장 중요한 목표인 재미로부터 멀찌감치 떨어져 출발하게 됩니다. 첫 단추가 잘못 끼워지니 그 이후의 단추들도 제대로 끼워지기 어렵습니다. 아이가 처음 숫자를 보고 읽고 수를 셀 때의 희망찬 모습에서 어느덧 수 앞에만 서면 작아지는 아이의 모습으로 부모님의 새로운 걱정은 시작됩니다. 이를 바로잡으려 부모님께서 다시 힘을 내보려 하지만 너무 오래된 수학이 낯설고 멀게만 느껴집니다.

「칸토의 연산」은 아이에게는 아이의 시선에 맞게 문제의 형태와 양을 재미있게 구성하여 즐거운 시간이 될 수 있게 하였고, 부모님께는 아이를 가까이서 직접 지도할 수 있는 학습 가이드(칸토 쌤)를 제공하여 최고의 선생님이 될 수 있게 하였습니다.

수학을 잘하기 위해서는 한 문제를 끝까지 풀기 위한 노력과 끈기도 필요합니다. 하지만 수학을 잘하기 위해 지금 부모님께서 해야 할 일은 아이에게 수학에 대한 좋은 첫인상을 심어주는 것입니다. 문제 푸는 것을 어려워한다면 과감히 다음 기회로 넘기고 기다려주세요. 첫 만남이 나쁘지 않았던 우리 아이는 다시금 수학을 찾고 수학과 더 깊은 관계로 발전해 나갈 수 있을 거예요.

유아 연산 비법

"초등 입학 전 연산 딱 4가지만 알고 가요."

취학 전 우리 아이가 반드시 학습해야 할 연산 주제 4가지를 제시합니다.

수 세기(1~50)

[수 세기 방법 4가지]

① 앞으로 세기 1, 2, 3, 4, 5, ……
② 거꾸로 세기 10, 9, 8, 7, ……
③ 이어 세기 5, 6, 7, 8, 9, ……
④ 묶어 세기 2, 4, 6, 8, 10, ……
(뛰어 세기)

수를 세는 과정에는 덧셈과 뺄셈의 원리가 숨어 있어요. 실생활 소재(음식, 물건, 계단)와 수 세기 모형(주사위, 수직선, 계란판)을 이용하여 반복하여 연습해 주세요. 아이의 수·연산 감각을 발달시킬 수 있는 출발점입니다.

수 계열(1~50)

[50까지의 수 배열표]

1 큰 수 →
10 큰 수 ↓

1	2	3	4	5	6	7	8	9	10
11	12	13	14	15	16	17	18	19	20
21	22	23	24	25	26	27	28	29	30
31	32	33	34	35	36	37	38	39	40
41	42	43	44	45	46	47	48	49	50

10 작은 수 ↑
← 1 작은 수

50까지의 수 배열표를 관찰하며 수의 구성과 각 수들 간의 관계를 파악하고 50까지의 수를 익혀요. 수 배열표를 머릿속으로 그릴 수 있어야 해요.

[모으기]

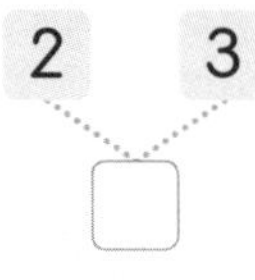

[가르기]

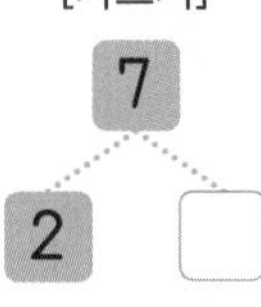

9까지의 수를 모으고 가르는 활동은 덧셈, 뺄셈의 기초이며 핵심 원리예요.
손가락뿐만 아니라 생활 속 다양한 구체물을 활용하여 반복적으로 연습해 보세요.

모으기·가르기(1~9)

[동적 상황의 덧셈·뺄셈]

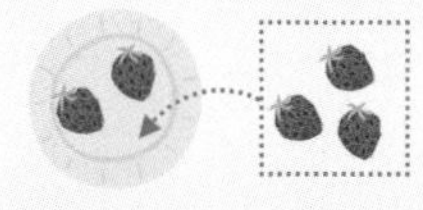

$2+3=\square$

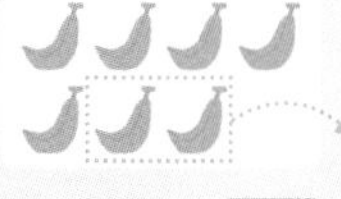

$7-2=\square$

덧셈, 뺄셈은 동적인 상황(첨가, 제거)과 정적인 상황(합병, 비교) 2가지가 있어요. 이것을 잘 이해하면 덧셈·뺄셈 문장제 문제를 해결하는 데 큰 도움이 돼요.

덧셈·뺄셈(0~9)

단계별 구성

유아/3단계

단계	권	주제
5세	1	1부터 5까지의 수
	2	6부터 9까지의 수
	3	1부터 9까지의 수
	4	덧셈과 뺄셈의 기초
6세	1	0부터 10까지의 수
	2	10까지의 수에서 더하기·빼기 1
	3	20까지의 수에서 더하기·빼기 1, 10
	4	20까지의 수에서 더하기·빼기 1, 2, 10
7세	1	합이 9까지의 덧셈
	2	9까지의 뺄셈과 덧셈·뺄셈
	3	50까지의 수에서 더하기·빼기 1, 2, 10
	4	받아올림·내림 없는 (두 자리 수±한 자리 수)

칸토의 연산 시리즈

(9단계, 총 36권)

- 연산의 원리부터 재미있는 퍼즐형 문제까지 다루는 기본 난이도의 연산 교재
- 나선형 반복 학습과 확장 커리큘럼
- [칸토의 연산] ➡ [응용 연산]으로 이어지는 기본·심화 연산 학습 설계
- 단계별 4권, 9단계 총 36권 구성
- 한 단계 4개월 완성
- 학년별 교과서 진도와 맞춤 병행

초등/6단계

단계	권	주제
초1	1	덧셈구구
	2	뺄셈구구
	3	편리한 계산 전략
	4	100까지의 수, 받아올림·내림 없는 (두 자리 수±두 자리 수)
초2	1	받아올림·내림 있는 (두 자리 수±한 자리 수)
	2	받아올림·내림 있는 (두 자리 수±두 자리 수)
	3	곱셈의 기초와 곱셈구구(1)
	4	곱셈구구(2)
초3	1	받아올림·내림 있는 (세 자리 수±세 자리 수)
	2	나눗셈구구
	3	(세 자리 수×한 자리 수), (두 자리 수×두 자리 수)
	4	분수와 소수의 기초
초4	1	큰 수
	2	곱셈과 나눗셈
	3	분모가 같은 분수의 덧셈과 뺄셈
	4	소수의 덧셈과 뺄셈
초5	1	자연수의 혼합 계산
	2	약수와 배수, 약분과 통분
	3	분모가 다른 분수의 덧셈과 뺄셈
	4	분수의 곱셈, 소수의 곱셈
초6	1	분수의 나눗셈
	2	소수의 나눗셈
	3	비와 비율
	4	비례식과 비례배분

칸토

이 책의 구성과 특징

- 하루 2쪽, 매주 5일씩 4주 동안 완성하는 연산 프로그램이에요.
- 연령별 아이의 학습 눈높이와 학습 체력에 맞게 쉬운 난이도와 하루 10분 정도의 학습 분량으로 구성하였어요.
- 선생님과 같은 실력으로 아이를 지도할 수 있게 「칸토 쌤」 코너에 알찬 학습 가이드를 수록하였어요.

1 학습 안내 • 무엇을 공부할까요?

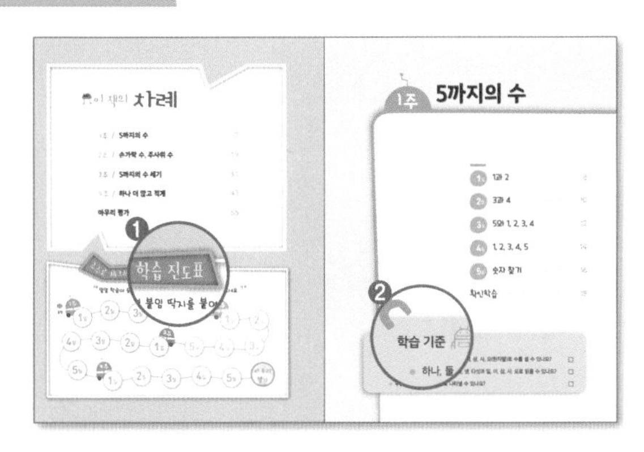

❶ 붙임 딱지를 붙여 학습 진도를 체크해요.

❷ 이번 주에 꼭 알아야 할 학습 기준을 체크해요.
공부 전에 간단히 살펴보고, 한 주 공부가 끝나면 반드시 확인해 보세요.

2 일일 학습 • 매주 5일씩 4주 동안 공부해요.

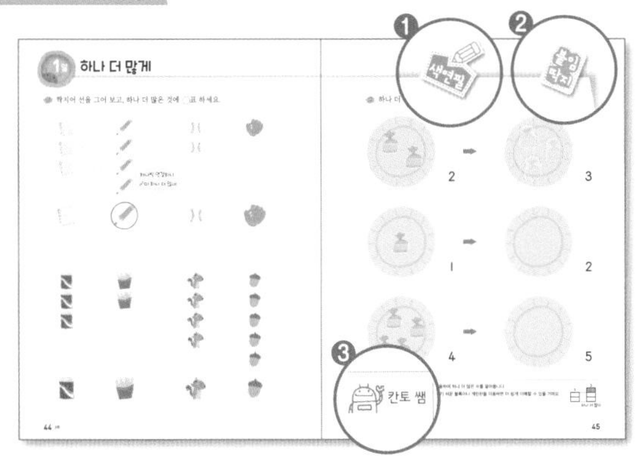

❶ 색연필을 사용하는 활동이에요.

❷ 붙임 딱지를 붙이는 활동이에요.

❸ 연산의 개념, 원리, 활용뿐만 아니라 아이의 학습 심리 상태를 파악할 수 있는 학습 가이드를 꼭 참고하세요.

3 확인 학습 • 이번주 배운 내용을 잘 알고 있나요?

4 마무리 평가 • 4주 동안 배운 내용을 잘 알고 있나요?

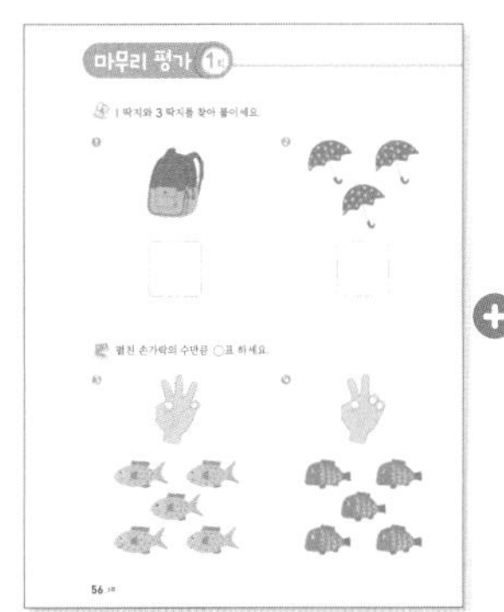

이 책의 차례

스스로 체크하는 학습 진도표

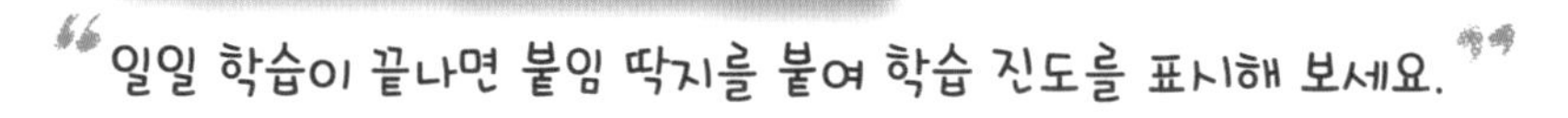

"일일 학습이 끝나면 붙임 딱지를 붙여 학습 진도를 표시해 보세요."

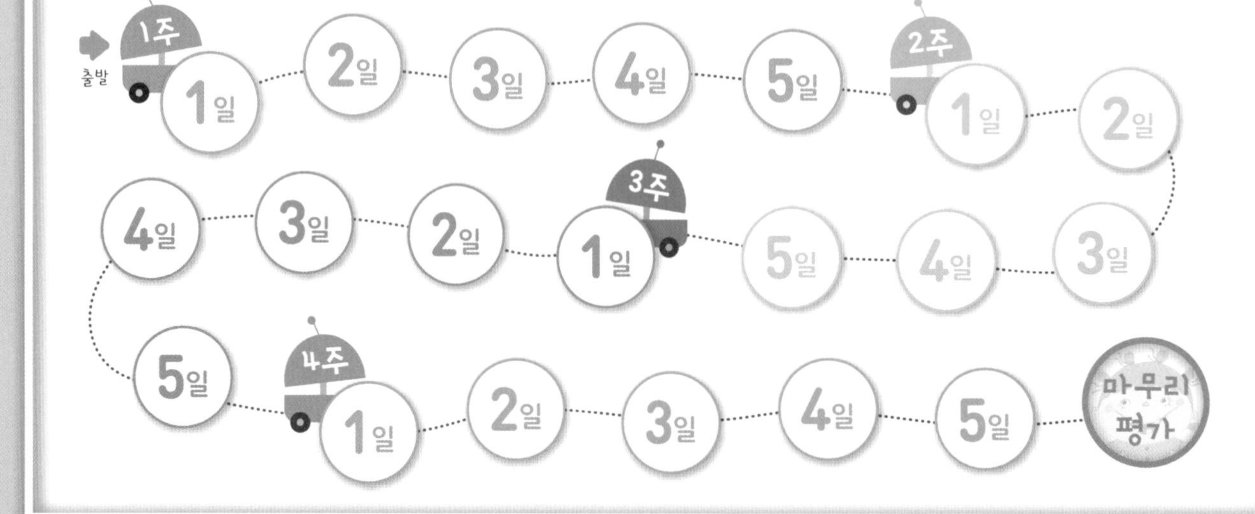

1주 20까지의 수

학습 기준

- 11부터 20까지의 수를 셀 수 있나요? ☐
- 11부터 20까지의 수를 쓰고 읽을 수 있나요? ☐
- 11부터 20까지의 수를 10씩 묶어 셀 수 있나요? ☐
- 동전의 금액을 셀 수 있나요? ☐

20까지의 수(1)

수를 따라 쓰세요.

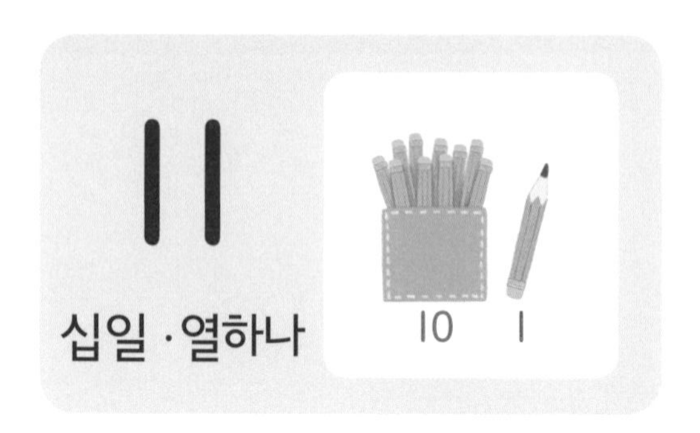

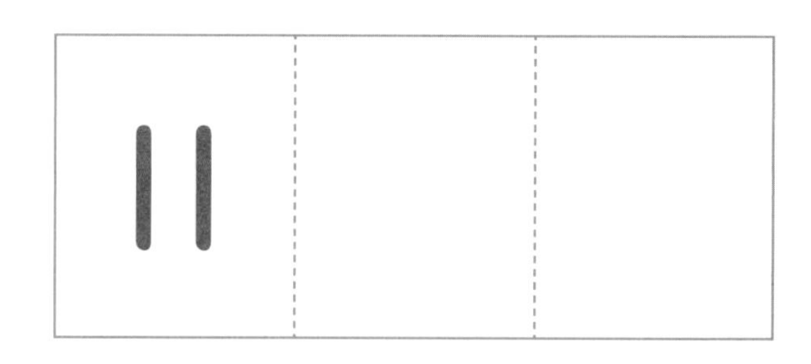

아니야! 나는 네가
10개 있어야 같아.

나랑 똑같네.

12

13

십삼 · 열셋

10 3

13

수를 따라 쓰세요.

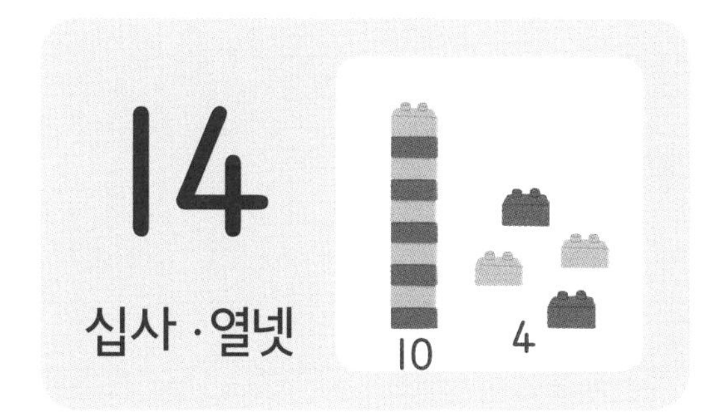

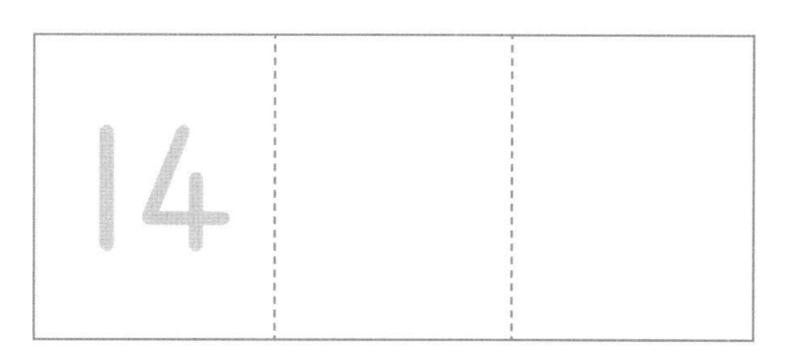

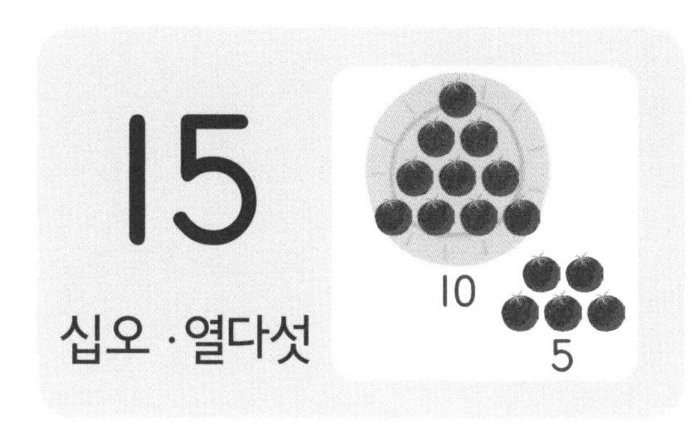

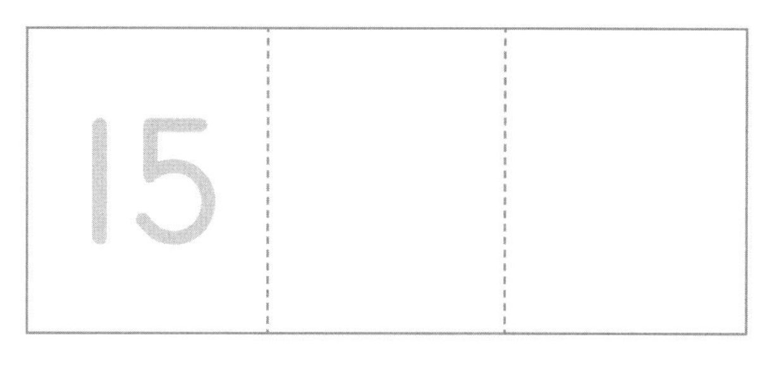

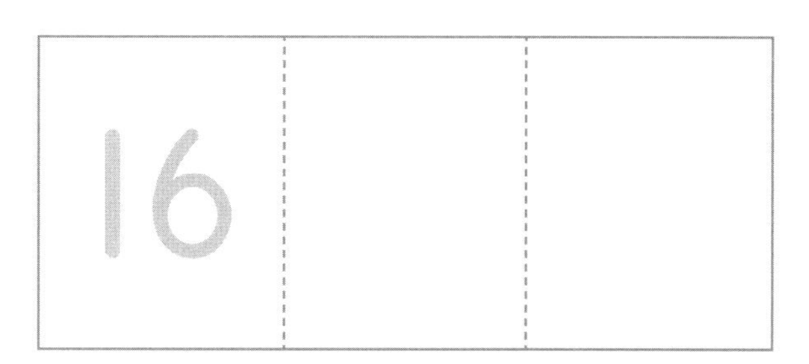

칸토 쌤

10까지 배운 아이에게 10이 넘는 수는 어떻게 나타내면 좋은지 물어보세요. 다양한 답이 나올 수 있어요. 10 묶음의 수는 왼쪽에, 낱개의 수는 오른쪽에 써서 나타낸다는 것을 알려주세요.

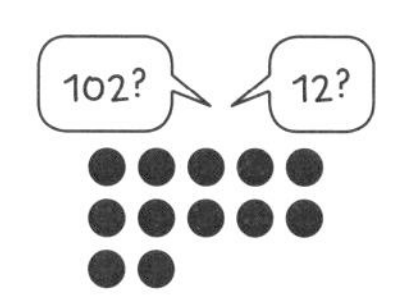

20까지의 수(2)

수를 따라 쓰세요.

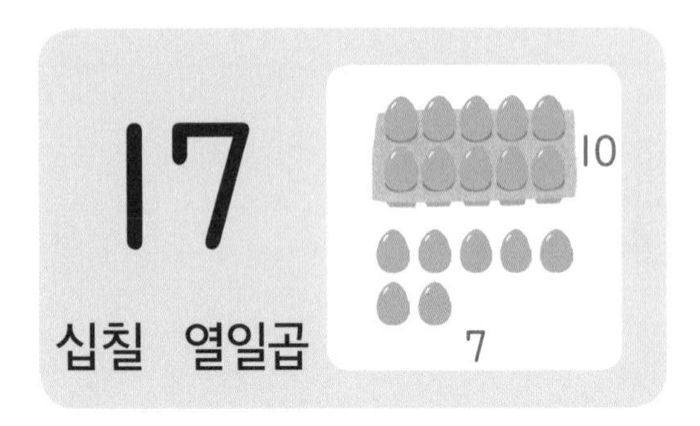

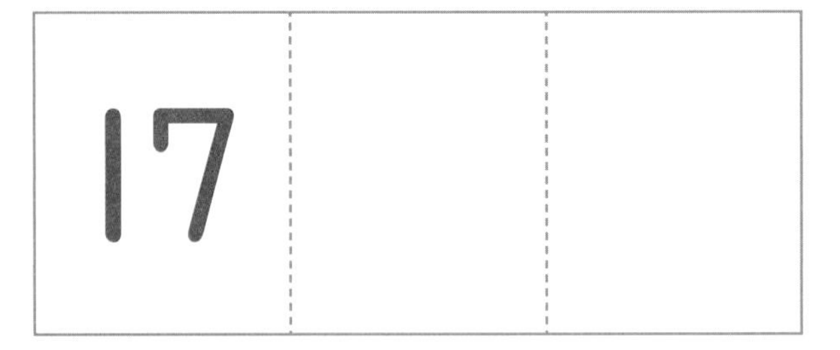

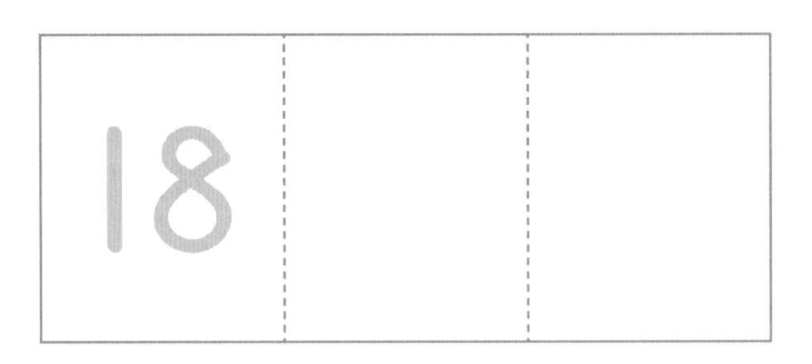

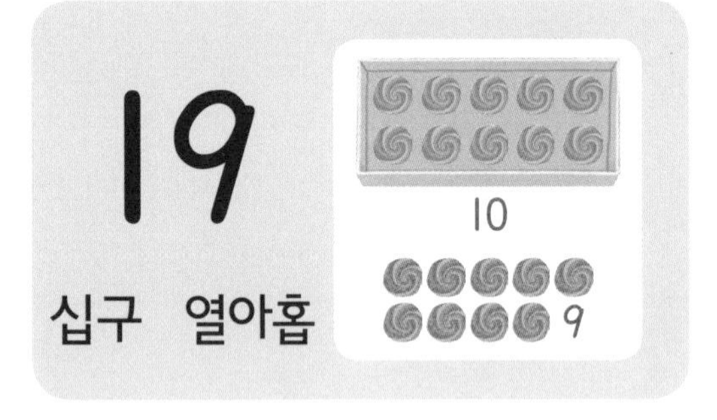

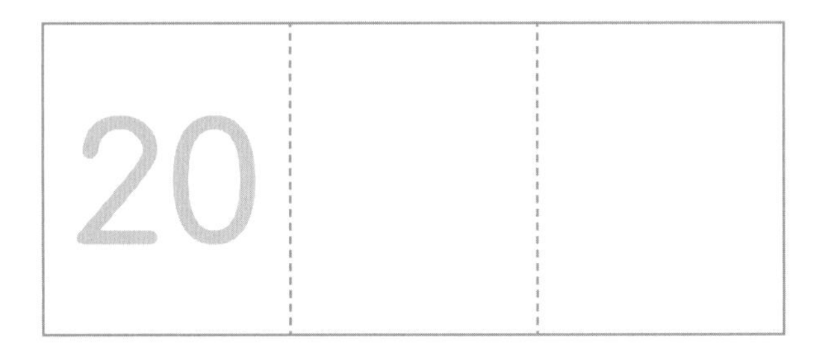

수를 따라 쓰세요.

11	12	13	14	15
십일	십이	십삼	십사	십오
16	17	18	19	20
십육	십칠	십팔	십구	이십

11	12	13	14	15
열하나	열둘	열셋	열넷	열다섯
16	17	18	19	20
열여섯	열일곱	열여덟	열아홉	스물

3일 십몇 모으기, 가르기

각각의 개수를 쓰고, 모두 몇 개인지 쓰세요.

개 5 개 ➡ 모두
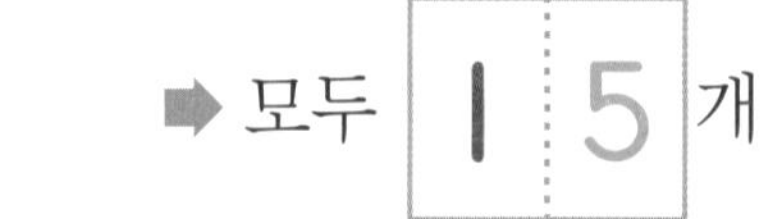

개

개 개 ➡ 모두

개

개 개 ➡ 모두 개

개수에 맞게 ○를 색칠하고, 빈칸에 알맞은 수를 쓰세요.

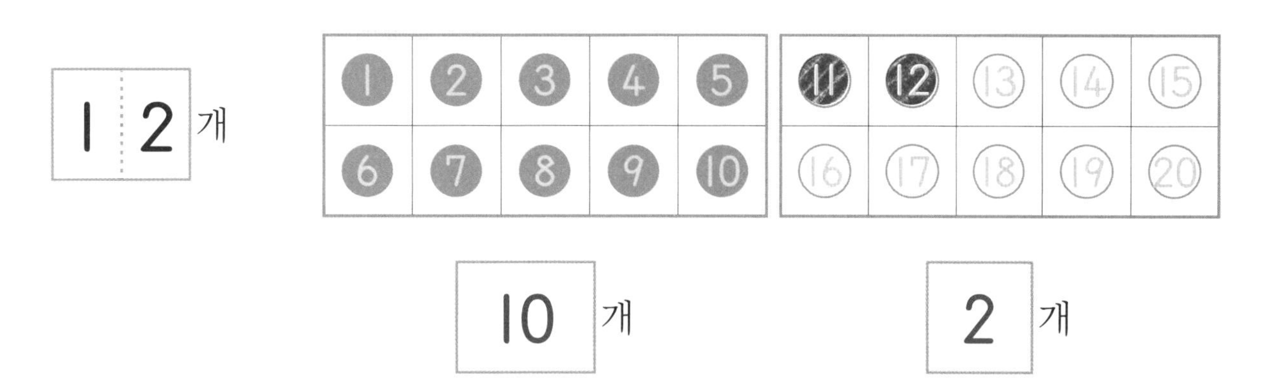

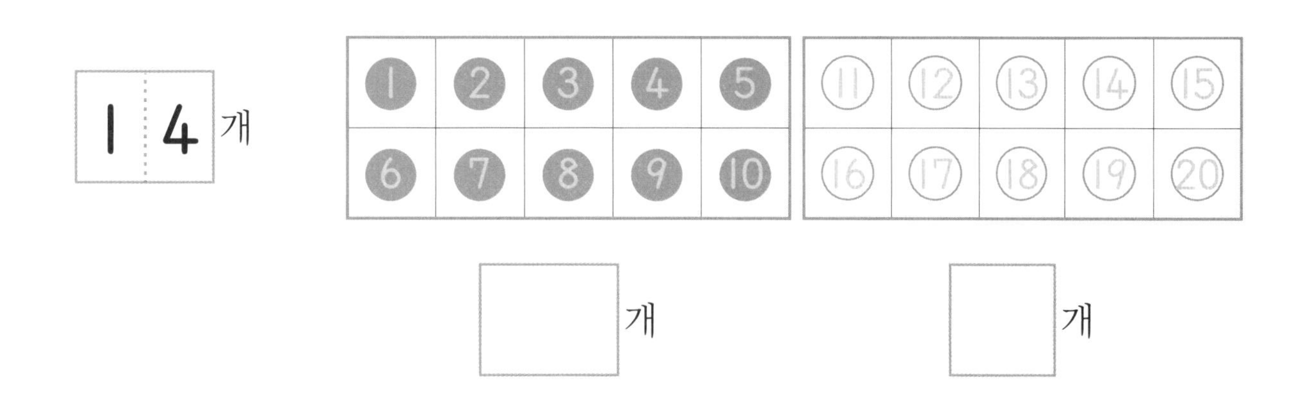

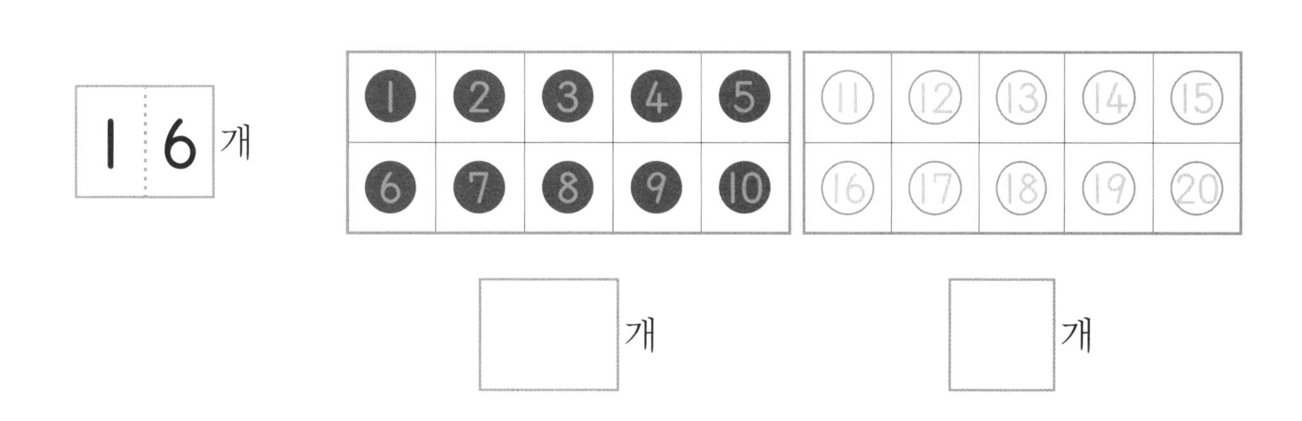

십몇 세기

각각 세어 보고 수를 쓰세요.

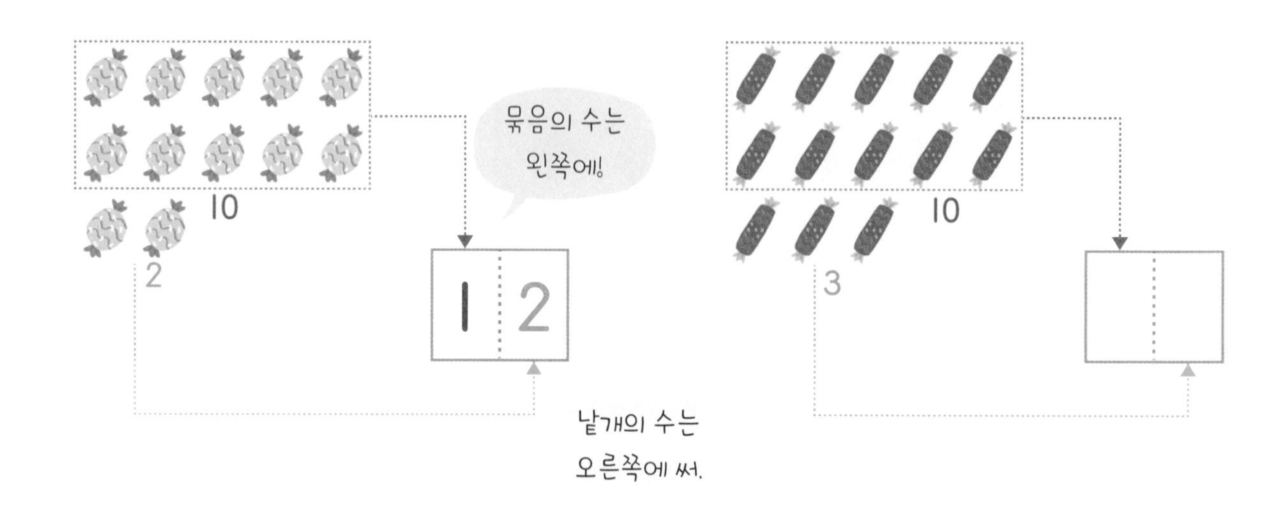

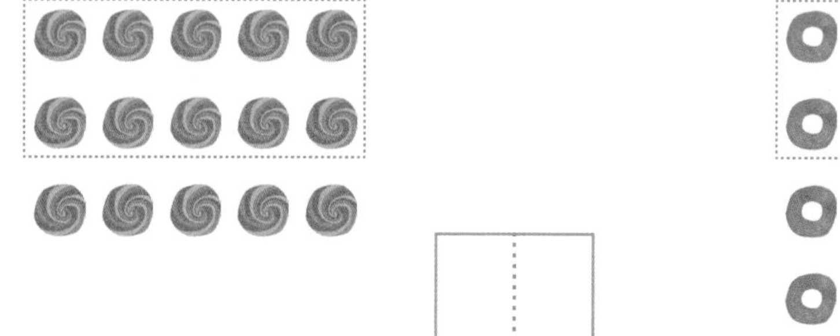

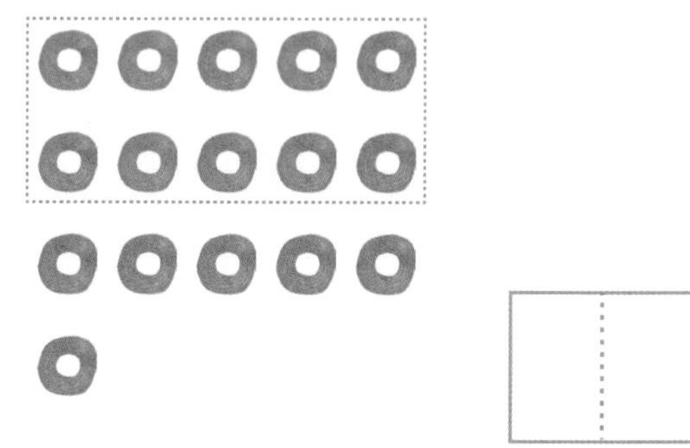

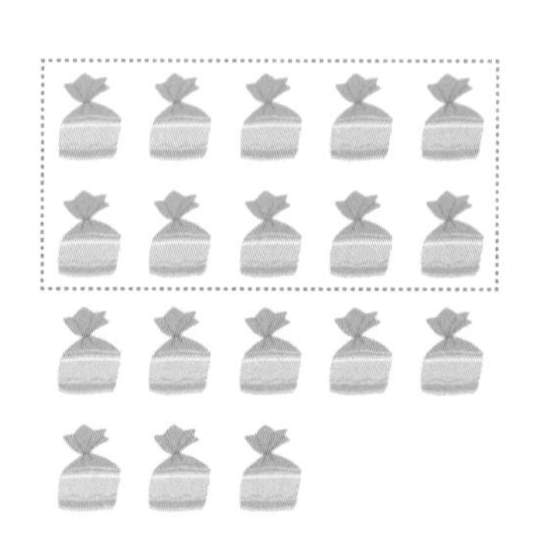

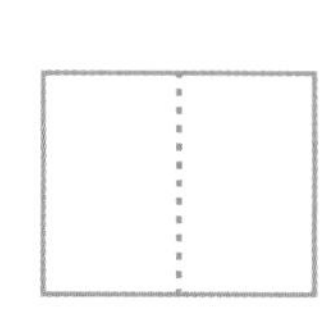

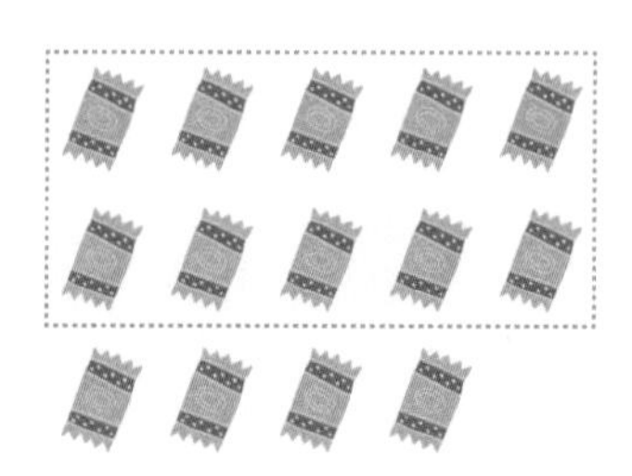

10개씩 묶어 세어 보세요.

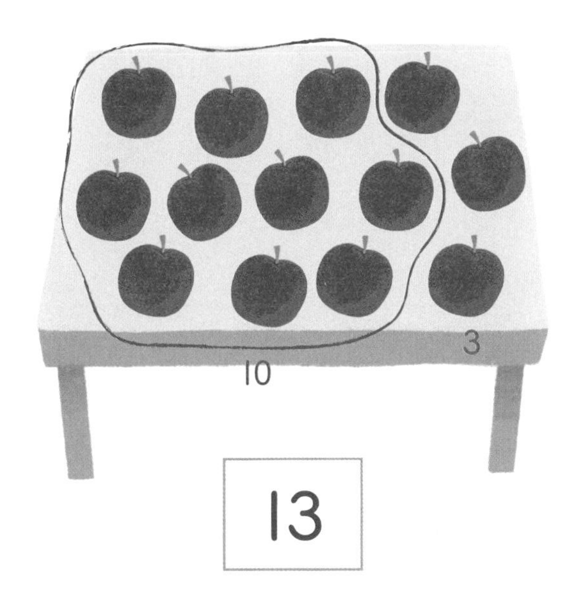

13

5일 금액 세기

금액을 쓰고 10 동전을 이용하여 바꾸어 붙이세요.

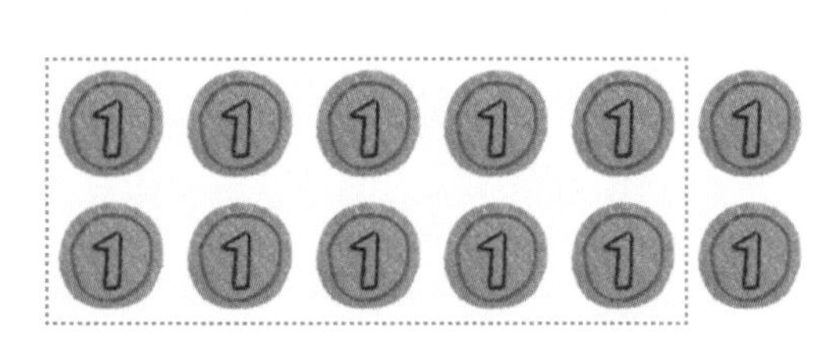

12 원

1원 10개는
10원 1개와 같아.

원

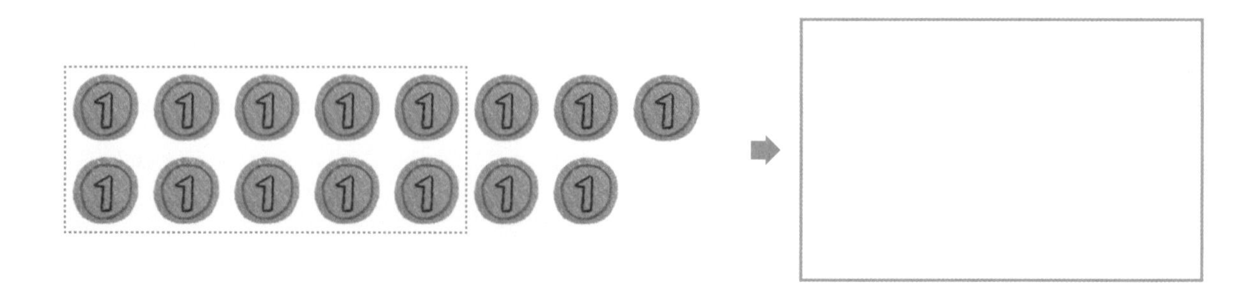

원

금액을 세어 빈칸에 알맞은 수를 쓰세요.

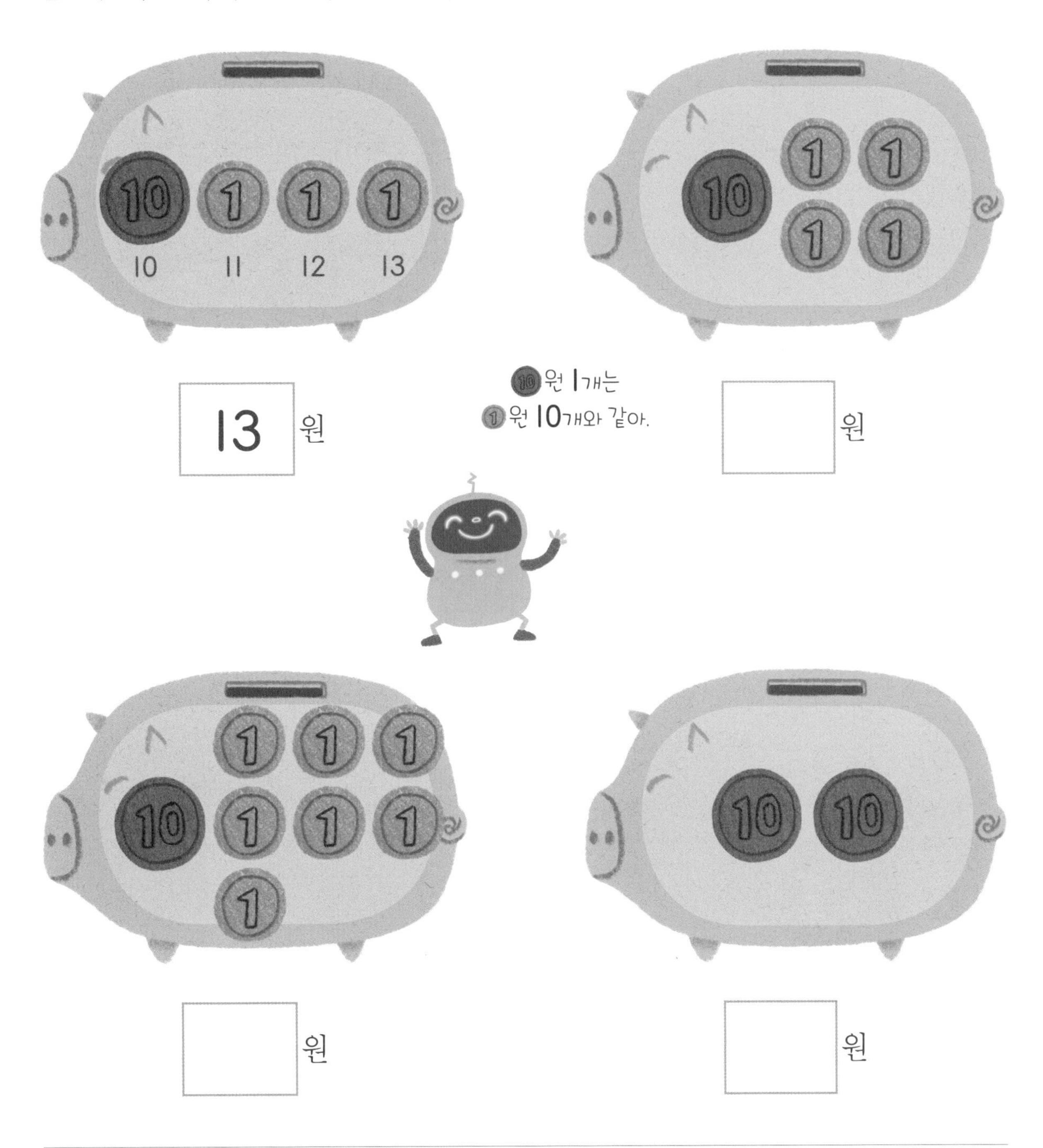

칸토 쌤

보이지 않는 것을 머릿속으로 세는 것은 아이들에게 아직 어려워요. 동전이 그중 대표적인 경우예요. 10원짜리 동전 1개는 1원짜리 동전 10개와 같다는 것을 반복해서 알려주세요. 생일 케이크의 큰 초와 작은 초를 이용하는 것도 좋은 방법이에요.

10
⬇⬆
① ① ① ① ①
① ① ① ① ①

확인학습

각각 세어 보고 수를 쓰세요.

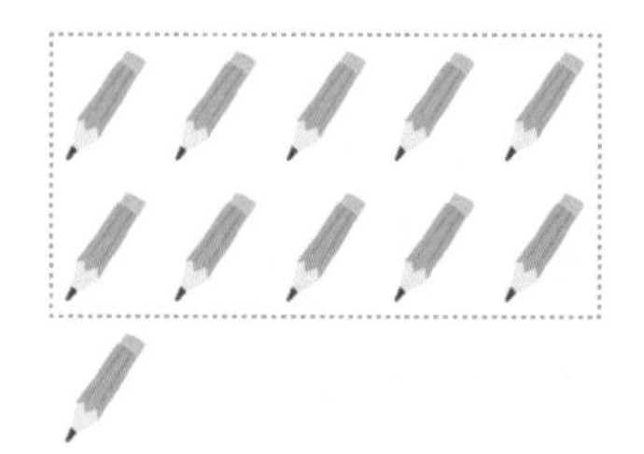

☐

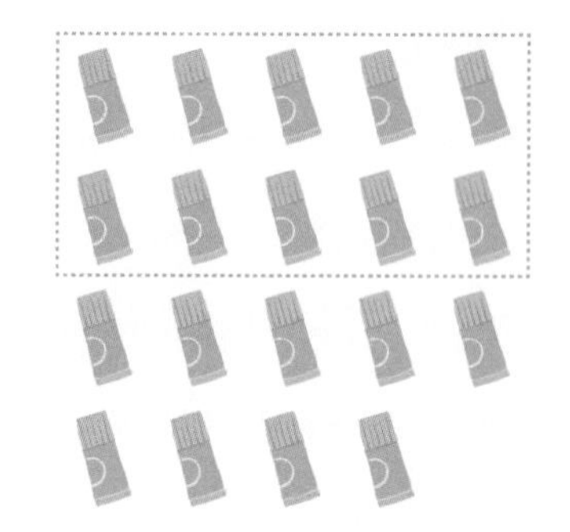

☐

금액을 세어 빈칸에 알맞은 수를 쓰세요.

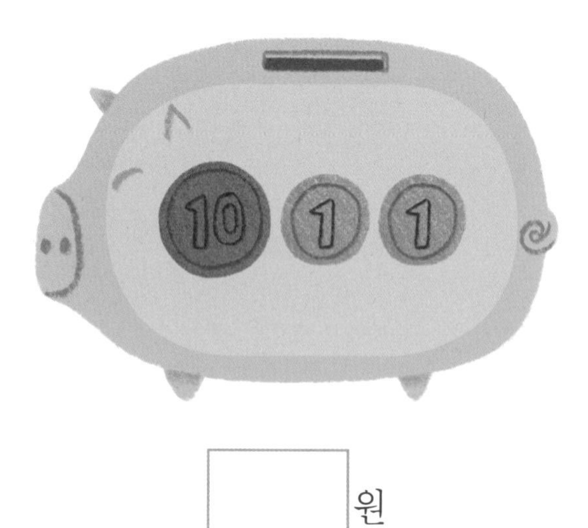

☐ 원

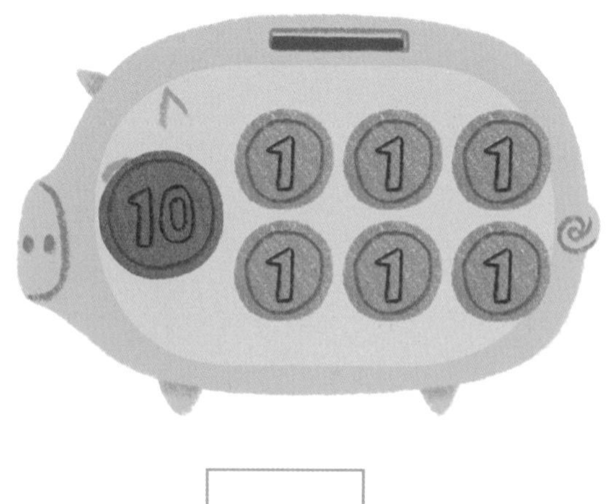

☐ 원

➡ 7쪽으로 돌아가 1주 차 학습 기준을 달성했는지 체크해 보세요.

2주 20까지의 수의 순서

학습 기준

- 20까지의 수를 앞으로 또는 거꾸로 셀 수 있나요? ☐
- 주어진 수를 큰 수부터 또는 작은 수부터 차례로 쓸 수 있나요? ☐
- 규칙을 찾아 빠진 수를 알 수 있나요? ☐

11부터 20까지

작은 수부터 차례로 빈칸에 알맞은 수를 쓰세요.

오른쪽으로 가면 1씩,
아래로 가면 10씩 커져.

1	2	3	4	5	6	7		9	10
11		13		15	16	17	18	19	20

왼쪽으로 가면 1씩,
위로 가면 10씩 작아져.

1	2	3	4			7	8	9	10
11	12	13	14				18	19	20

1	2		4	5	6	7	8		10
11	12		14	15	16	17	18		

규칙을 찾아 빈 곳에 알맞은 수를 쓰세요.

칸토 쌤

1부터 20까지 수의 순서를 잘 알고 있는지 알아보는 활동이에요.
위의 20판으로 주사위를 던져 말 옮기기 게임을 해 보세요. 게임보다 더 좋은 수학 공부는 없답니다.

작은 수부터

가게에서 구슬 사탕을 작은 수부터 이어서 팔아요. 잘못 이어진 수에 ╳표 하세요.

11 12 13 14 17

12 14 13 14 15

주어진 수를 작은 수부터 차례로 쓰세요.

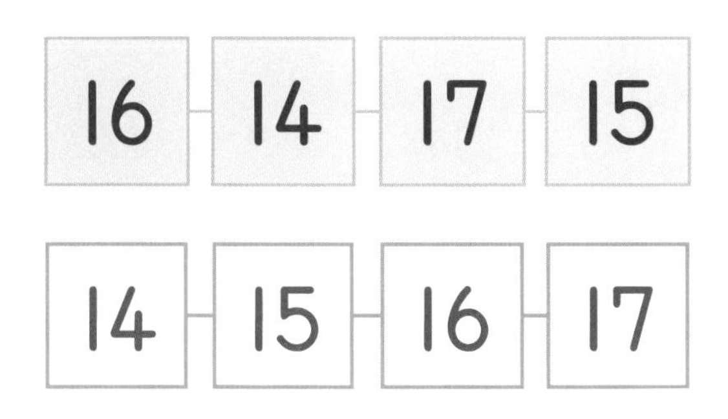

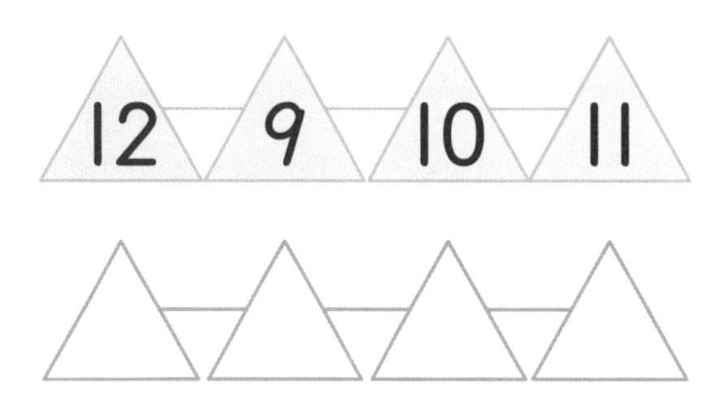

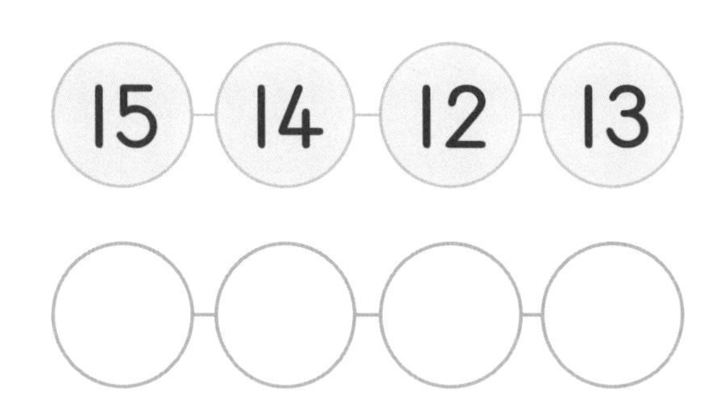

제일 앞에 오는 수부터
찾아야 해.

칸토 쌤

20까지 수의 순서를 어느 정도 알고 있으면 아이와 번갈아 가며 수 말하기 게임을 해 보세요. 준비물이 따로 필요하지 않아 어디서든 할 수 있는 게임이에요.

20부터 11까지

20부터 수를 거꾸로 말하며 선으로 이으세요.

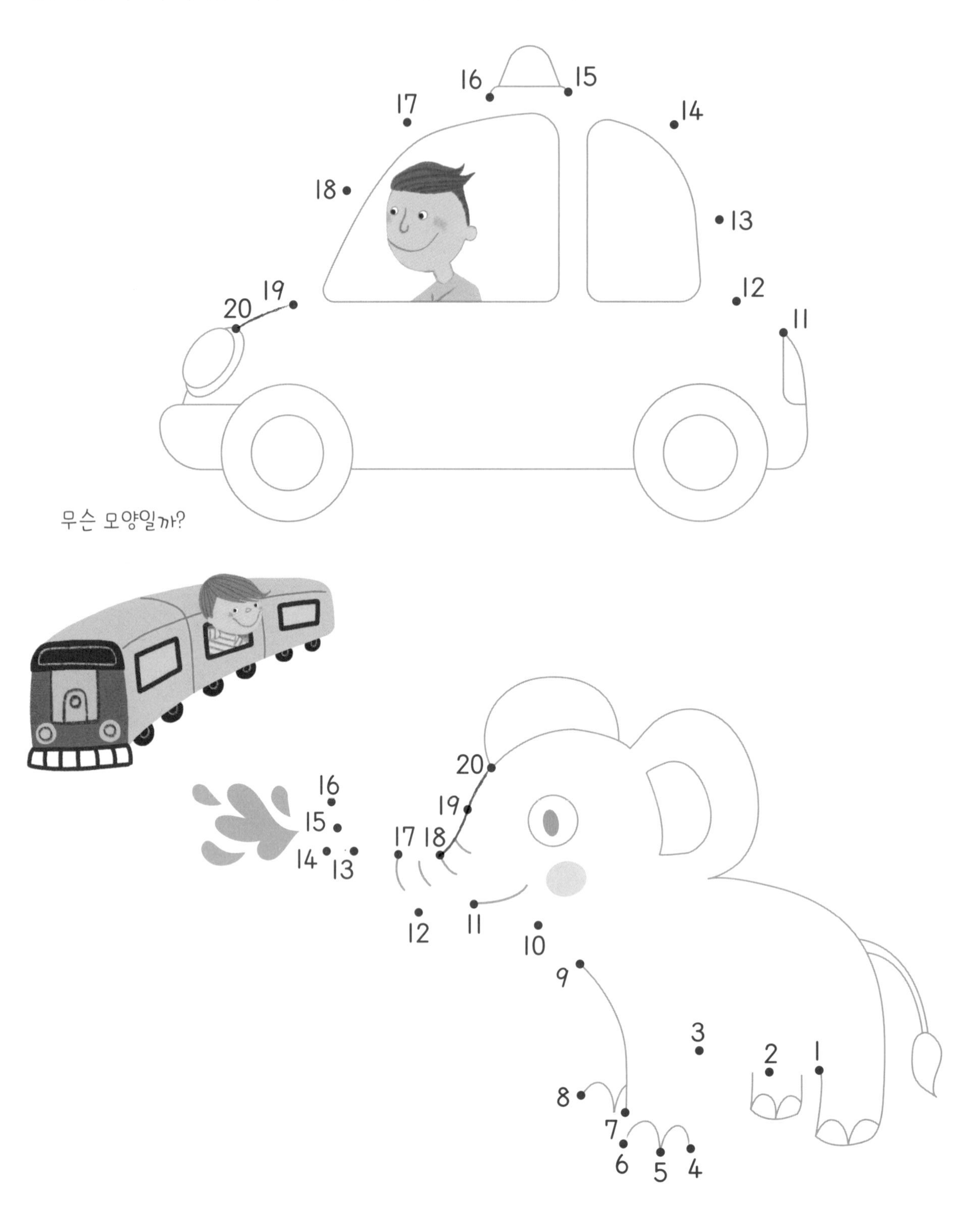

20부터 11까지 수를 거꾸로 이어 미로를 빠져 나가세요.

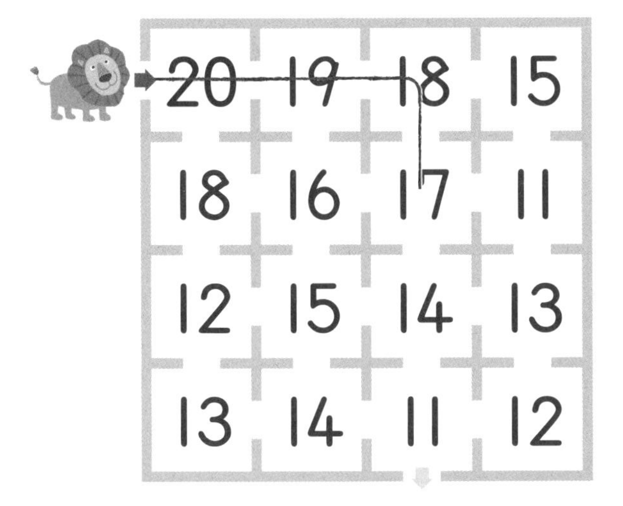

20	16	14	11
19	15	13	12
18	12	11	13
17	16	15	14

칸토 쌤

'앞으로 수 세기'는 더하기의 기초가 되고 '거꾸로 수 세기'는 빼기의 기초가 되는 개념이에요. 앞으로 세기와 거꾸로 세기 둘 다 능숙하게 할 수 있도록 다양한 방법으로 연습해 주세요.

4일 큰 수부터

큰 수부터 나오는 비눗방울이에요. 빈 곳에 알맞은 수를 쓰세요.

14 - 13 - 12 - 11

12 - 11 - 10 - ( )

16 - ( ) - 14 - 13

15 - 14 - ( ) - 12

( ) - 19 - 18 - 17

18 - ( ) - 16 - 15

수를 큰 수부터
거꾸로 세어야 해.

주어진 수를 큰 수부터 차례로 쓰세요.

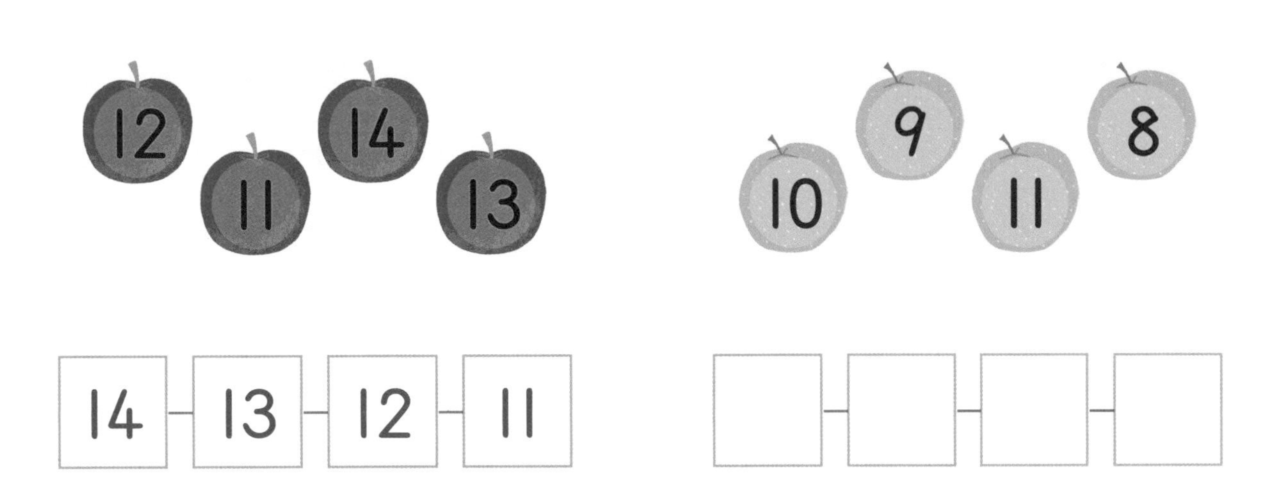

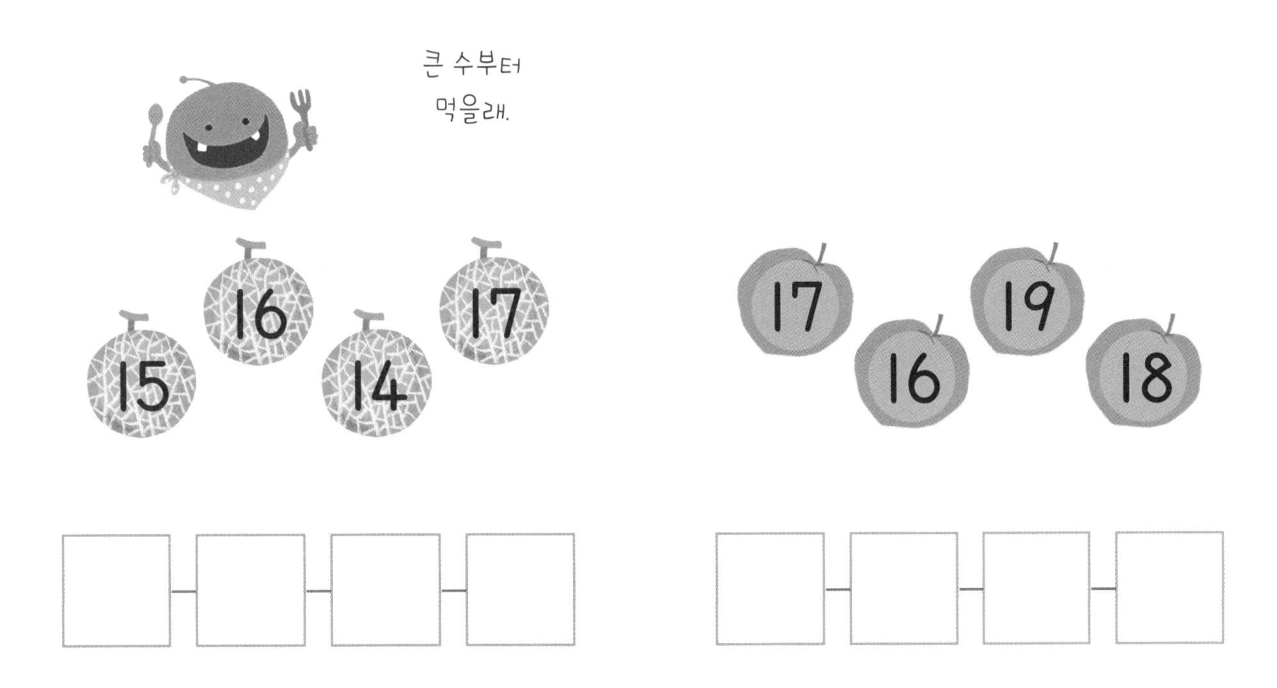

규칙 찾아 세기

사물함에 번호가 빠졌어요. 규칙에 맞게 빈 곳에 딱지를 붙이세요.

1	2	3	4	5
6	7	8		10
11	12		14	15
16		18	19	

내 사물함은 어디 있지?

1부터 수를 차례로 따라가 봐.

5	4	3	2	1
6		8	9	10
15	14	13		
16	17		19	20

엘리베이터에 버튼이 빠졌어요. 규칙을 찾아 빈 곳에 알맞은 수를 쓰세요.

19	20
17	18
	16
13	14
11	
9	
7	8
5	6
3	4
1	2
◀|▶	▶|◀

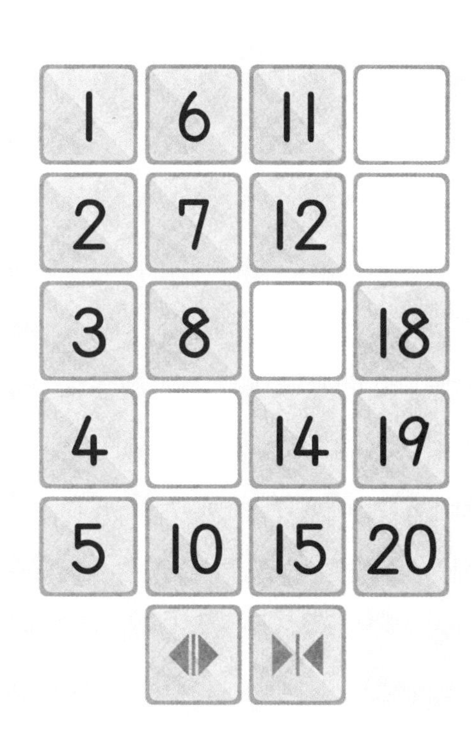

우리집은
12층이야.

칸토 쌤

우리 주변에는 수가 규칙적으로 써 있는 물건들이 많아요. 아이와 엘리베이터, 달력, 시계 등을 보며 수가 어떻게 써 있는지 규칙을 찾을 수 있게 도와주세요.

확인학습

작은 수부터 차례로 쓴 것입니다. 잘못 들어간 수에 ╳표 하세요.

12 13 14 15 17

14 16 15 16 17

17 18 20 19 20

20부터 수를 거꾸로 말하며 선으로 이으세요.

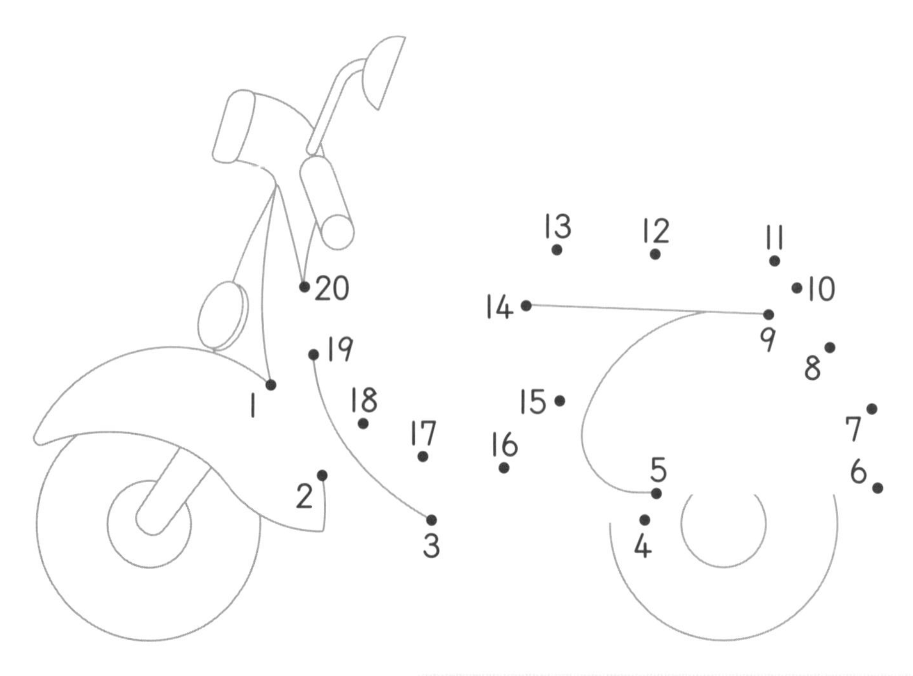

➡ 19쪽으로 돌아가 2주 차 학습 기준을 달성했는지 체크해 보세요.

3주

20까지의 수에서 더하기·빼기 1

학습 기준

- 어떤 수보다 1 큰 수와 1 작은 수를 알 수 있나요? ☐
- 어떤 수에 1을 더한 수를 알 수 있나요? ☐
- 어떤 수에서 1을 뺀 수를 알 수 있나요? ☐

1일 1큰 수, 1작은 수

I원짜리 동전 딱지를 하나 더 붙이고, I 큰 수를 쓰세요.

12 → ☐

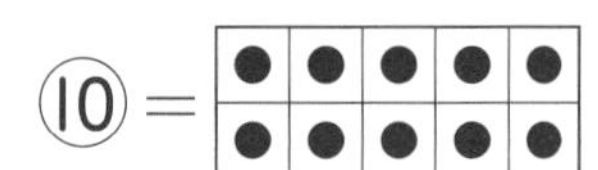

15 → ☐

I원짜리 동전 하나를 /으로 지우고, I 작은 수를 쓰세요.

13 → ☐

18 → ☐

1 큰 수와 1 작은 수를 쓰세요.

0	1	2	3	4	5	6	7	8	9	10

왼쪽	1 작은 수		1 큰 수	오른쪽
	10	11	12	
		16		
		14		
		17		
		19		

칸토 쌤

수의 양과 수의 순서를 이용하여 1 큰 수와 1 작은 수를 알아보는 활동이에요. 더하기 1과 빼기 1의 기초가 되는 개념이므로 반복하여 연습해 주세요.

1 큰 수 → 더하기 1

2일 더하기 1

○ 하나를 더 색칠하고, 더하기 1을 계산하세요.

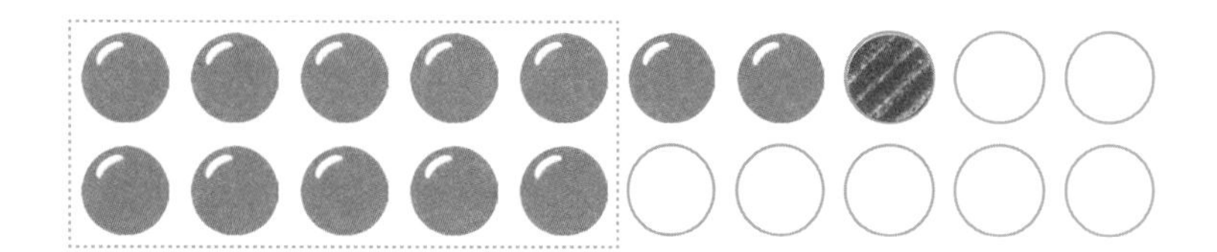

$12 + 1 =$ 13

12 더하기 1은
13이야.

$14 + 1 =$ ☐

$10 + 1 =$ ☐

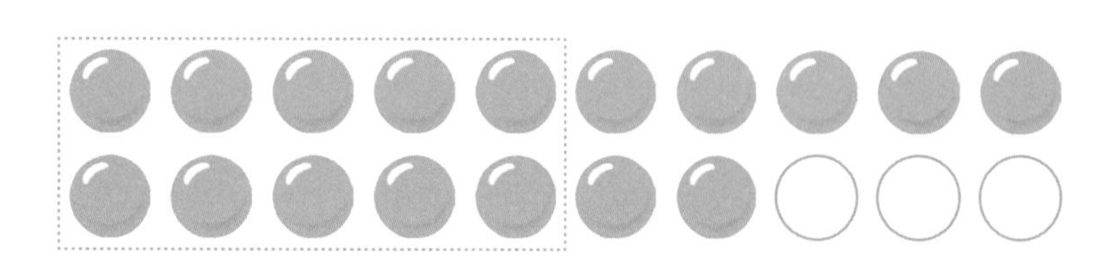

$17 + 1 =$ ☐

1 큰 수를 쓰고, 더하기 1을 계산하세요.

12	13	14

$13+1=$ 14

9	10	

$10+1=$ ☐

더하기 1은
1 큰 수야.

15	16	

$16+1=$ ☐

17	18	

$18+1=$ ☐

10	11	

$11+1=$ ☐

18	19	

$19+1=$ ☐

칸토 쌤

6세 2권에서는 10까지의 수에서 더하기 1을 배웠어요. 이번에는 20까지의 수로 확장하여 더하기 1을 공부해요. 점 수판과 수의 순서 2가지 방법으로 더하기 1을 계산할 수 있도록 해요.

1~10: 더하기 1
⬇
1~20: 더하기 1

3일 빼기 1

구슬 하나를 지워 뺄셈을 하세요.

$15 - 1 = $ 14

15 빼기 1은
14야.

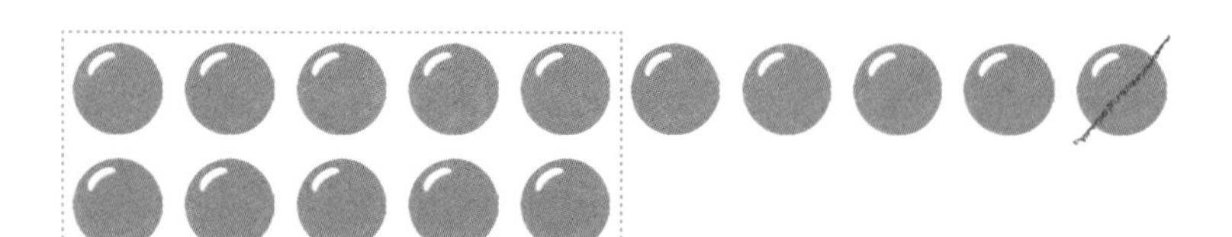

$12 - 1 = $ ☐

$17 - 1 = $ ☐

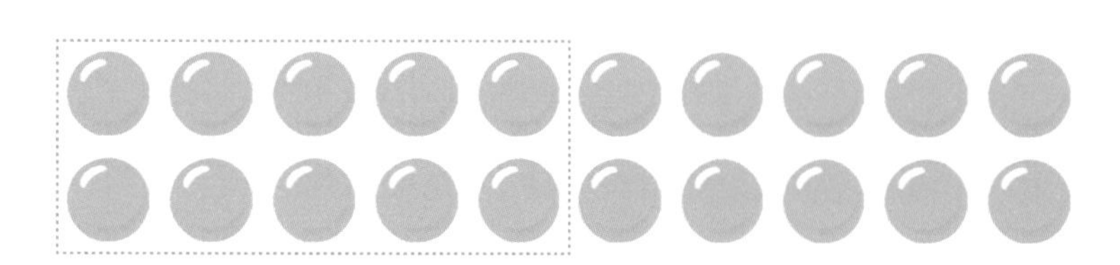

$20 - 1 = $ ☐

1 작은 수를 쓰고, 빼기 1을 계산하세요.

13 14 15

$14 - 1 = $ 13

빼기 1은
1 작은 수야.

11 12

$11 - 1 = $ ☐

16 17

$16 - 1 = $ ☐

18 20

$20 - 1 = $ ☐

$10 - 1 = $ ☐

19 20

$19 - 1 = $ ☐

칸토 쌤 6세 2권에서는 10까지의 수에서 빼기 1을 배웠어요. 20까지로 수를 확장하여 더하기 1을 공부한 것과 같이 빼기 1도 20까지의 수로 확장하여 공부해요. 점 수판과 수의 순서 2가지 방법으로 빼기 1을 계산할 수 있도록 해요.

1~10: 빼기 1
↓
1~20: 빼기 1

4일 더하기 1, 빼기 1

1 큰 수와 1 작은 수를 쓰고, 더하기 1 빼기 1을 계산하세요.

$15 - 1 = \square$

$15 + 1 = \square$

□ ······ 12 ······ □

1 작은 수 1 큰 수

$12 - 1 = \square$

$12 + 1 = \square$

□ ······ 19 ······ □

1 작은 수 1 큰 수

$19 - 1 = \square$

$19 + 1 = \square$

□ ······ 13 ······ □

1 작은 수 1 큰 수

$13 - 1 = \square$

$13 + 1 = \square$

바르게 계산한 길을 따라 선을 그으세요.

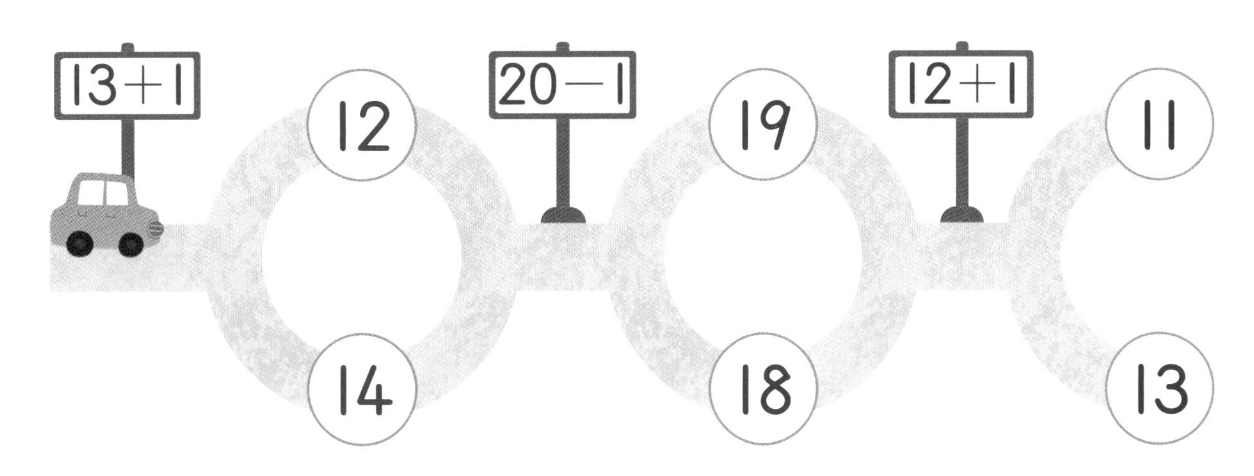

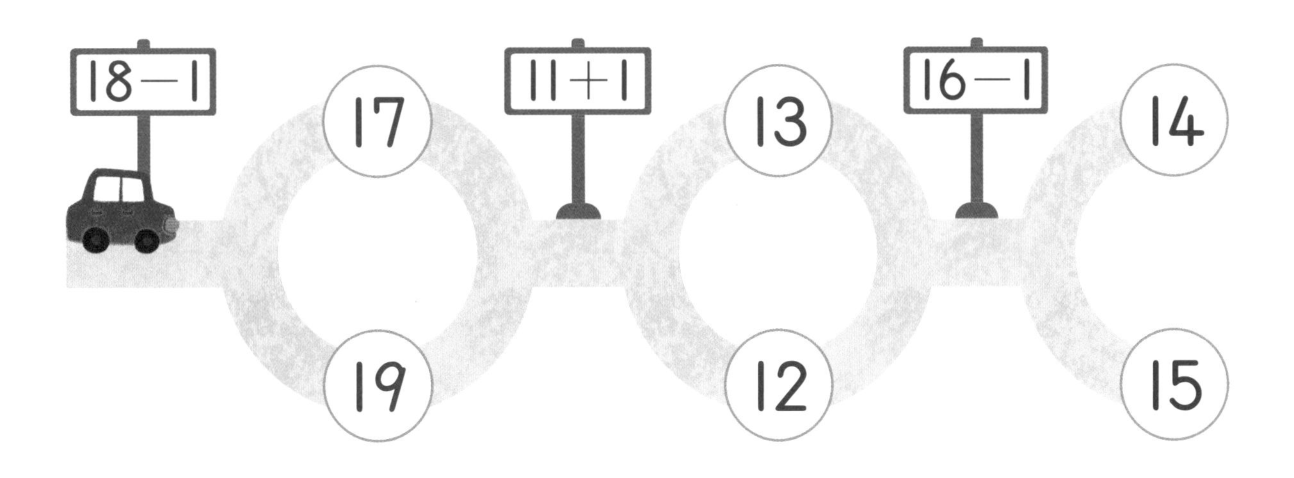

칸토 쌤

아이와 수 카드를 1장씩 뒤집어 더하기 1 말하기 게임을 해 보세요. 엄마보다 아이가 이기는 횟수가 더 많도록 게임을 조절해 주세요. 아이가 어느 정도 능숙해지면 빼기 1 말하기 게임도 해 보세요.

5일 더하기 1, 빼기 1 연습

알맞은 식을 찾아 색칠하세요.

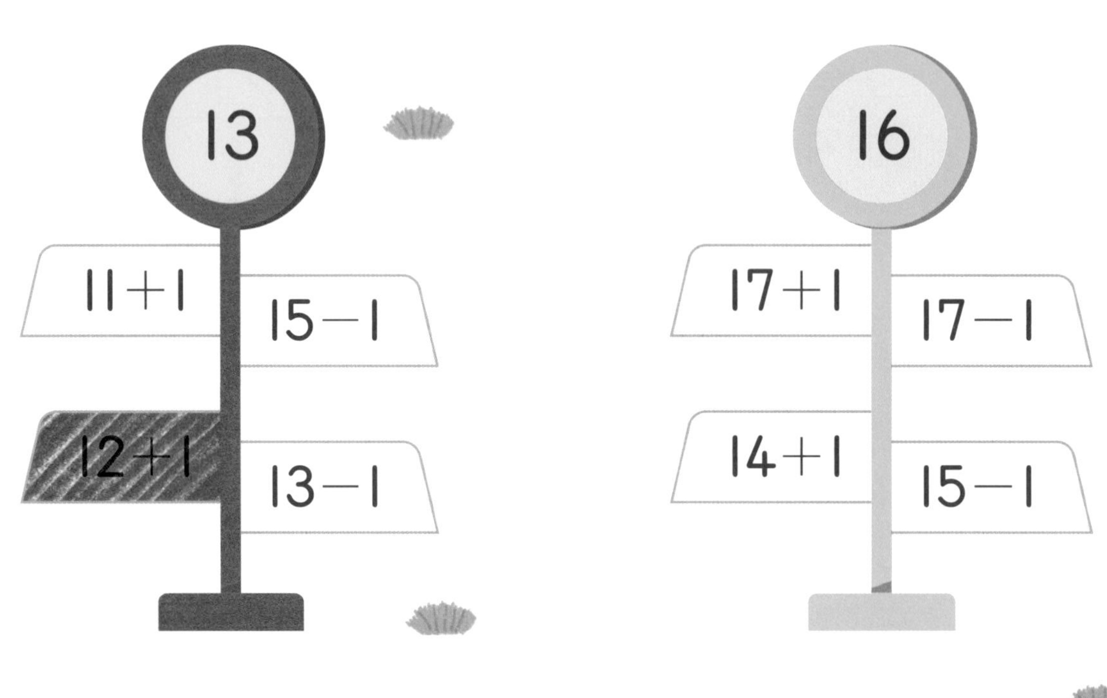

어떤 식을 계산하면
16이 될까?

계산을 하세요.

$13 + 1 = \square$

$12 - 1 = \square$

$18 - 1 = \square$

$11 + 1 = \square$

$14 + 1 = \square$

$16 - 1 = \square$

$13 - 1$ $19 + 1$ $17 - 1$

11 16 12 18 20

확인학습

 1 큰 수와 1 작은 수를 쓰세요.

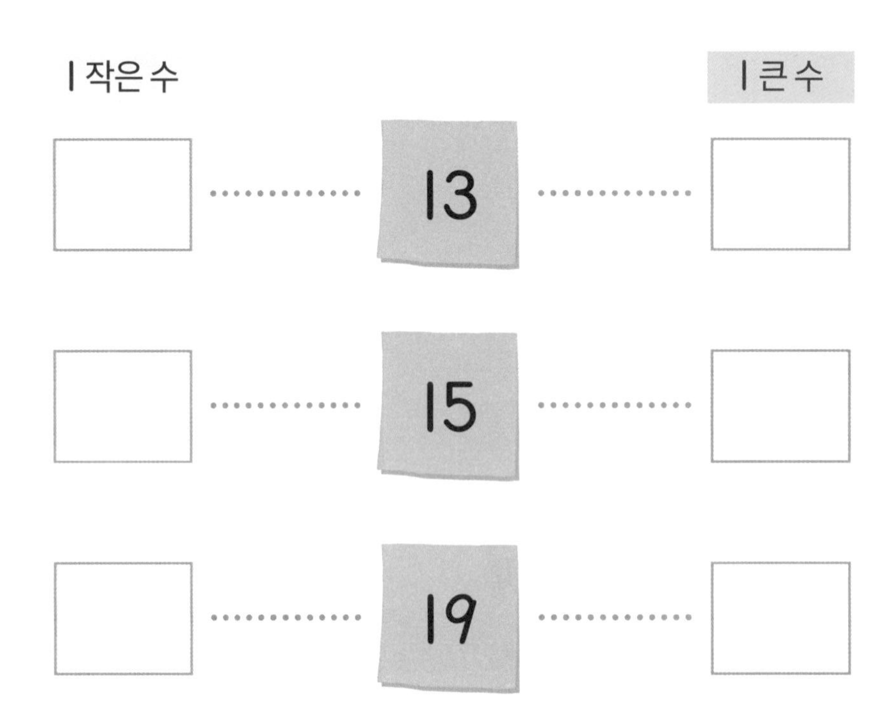

 계산을 하세요.

$12+1=\square$ $11-1=\square$

$17-1=\square$ $18+1=\square$

➡ 31쪽으로 돌아가 3주 차 학습 기준을 달성했는지 체크해 보세요.

4주 20까지의 수에서 더하기·빼기 1, 10

학습 기준

- 어떤 수보다 10 큰 수와 10 작은 수를 알 수 있나요? □
- 어떤 수에 10을 더한 수를 알 수 있나요? □
- 어떤 수에서 10을 뺀 수를 알 수 있나요? □

1일 10 큰 수, 10 작은 수

10원짜리 동전 딱지를 하나 더 붙이고, 10 큰 수를 쓰세요.

8

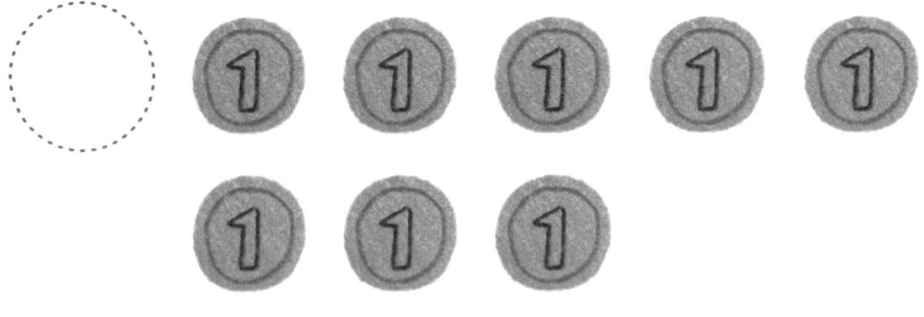

10원짜리 동전 하나를 /으로 지우고, 10 작은 수를 쓰세요.

14

17

10 큰 수와 10 작은 수를 쓰세요.

10 큰 수 ↓ / ↑ 10 작은 수

1	2	3	4	5	6	7	8	9	10
11	12	13	14	15	16	17	18	19	20

10 작은수	2	7	5	9
10 큰수	12			

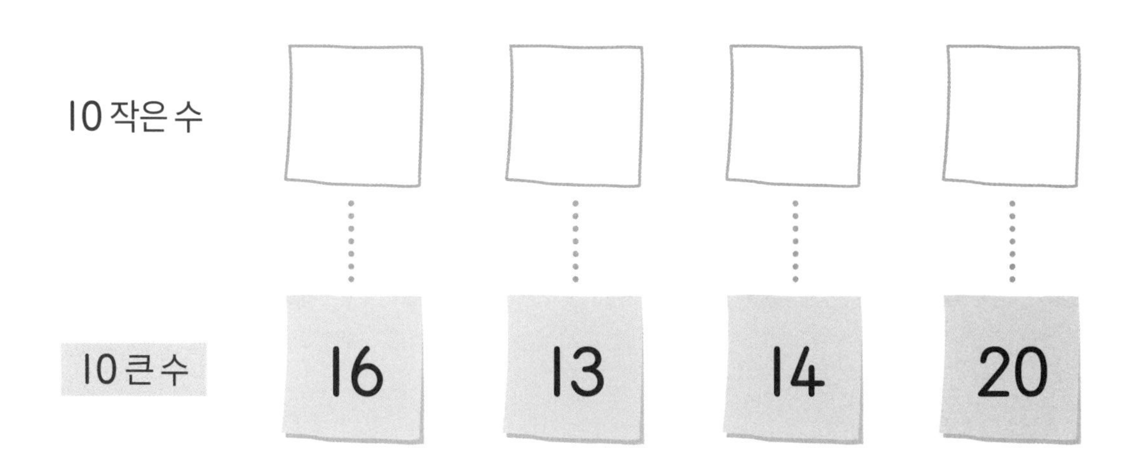

칸토 쌤

10 큰 수, 10 작은 수를 동전과 수 배열표 2가지 방법으로 알아보는 활동이에요. 수가 커져서 앞에서 공부한 1 큰 수, 1 작은 수를 찾는 것보다는 어려울 수 있어요. 동전과 수 배열표를 잘 활용할 수 있도록 도와주세요.

2일 더하기 10

동전을 보고 더하기 10을 계산하세요.

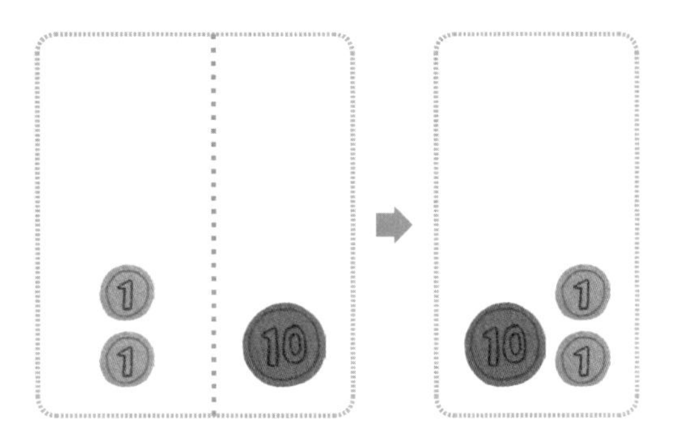

2 + 10 = 12

2 더하기 10은 12야.

7 + 10 = □

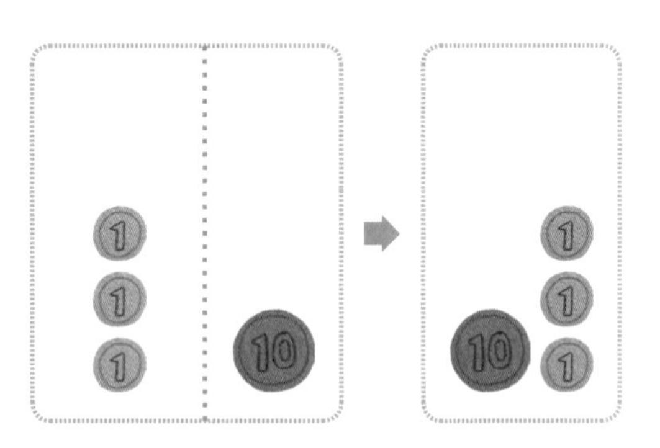

3 + 10 = □

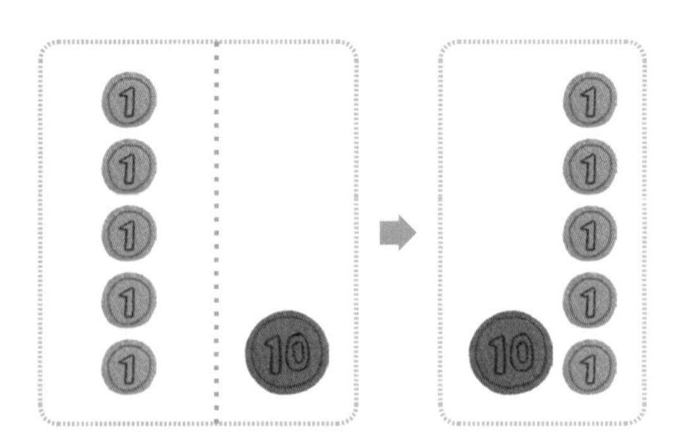

5 + 10 = □

10 큰 수를 쓰고, 더하기 10을 계산하세요.

$4+10=$ ☐

더하기 10은
10 큰 수야.

$1+10=$ ☐

5	6	7
15		17

$6+10=$ ☐

8	9	10
18		20

$9+10=$ ☐

칸토 쌤

10 큰 수를 기초로 하여 더하기 10을 계산하는 문제예요. 동전과 수 배열표 2가지 방법으로 구해 보고, 어느 정도 능숙해지면 덧셈식을 보고 구할 수 있게 유도해 주세요.

3일 빼기 10

동전을 보고 빼기 10을 계산하세요.

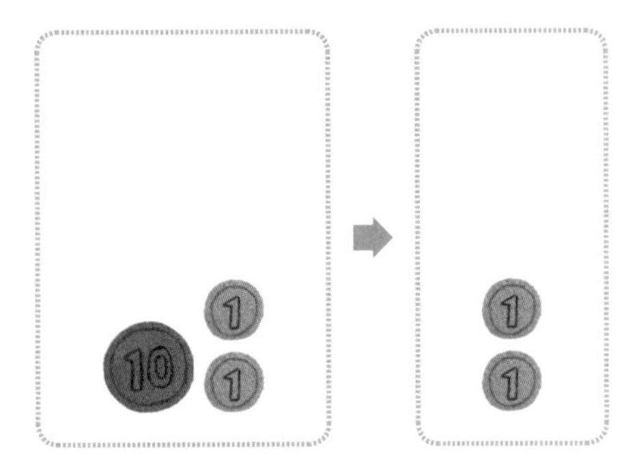

12 − 10 = 2

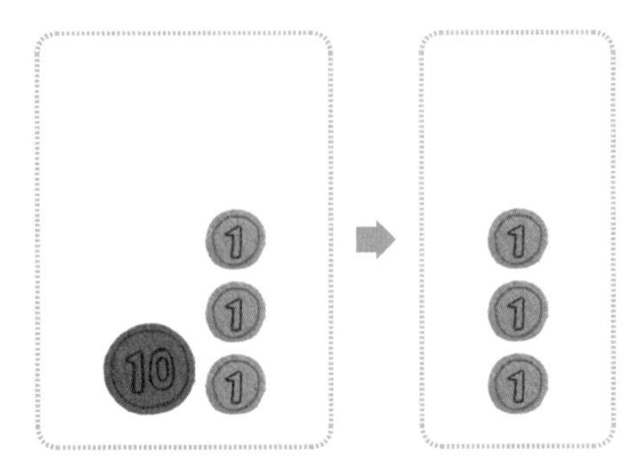

13 − 10 = ☐

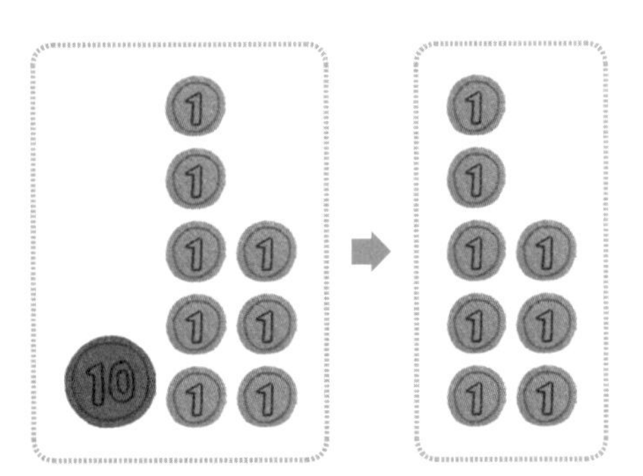

18 − 10 = ☐

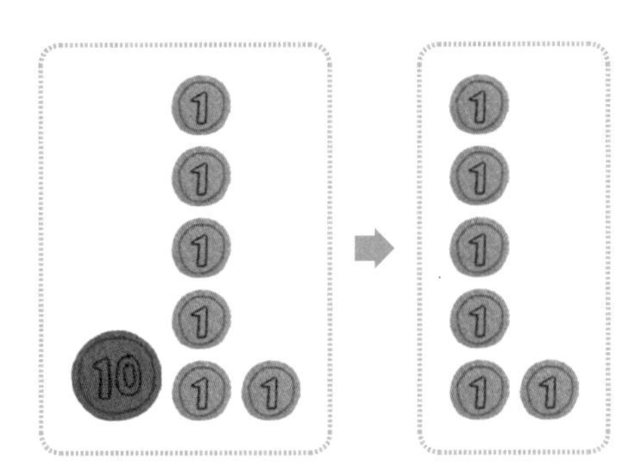

16 − 10 = ☐

십원이 1개 없어지면
10 작은 수가 돼.

10 작은 수를 쓰고, 빼기 10을 계산하세요.

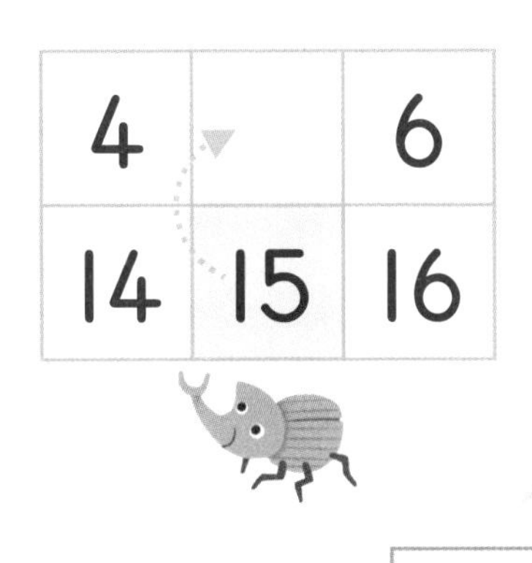

빼기 10은
10 작은 수야.

$15 - 10 = \square$

$11 - 10 = \square$

6		8
16	17	18

$17 - 10 = \square$

8	9	
18	19	20

$20 - 10 = \square$

칸토 쌤

10 작은 수를 기초로 하여 빼기 10을 계산하는 문제예요. 동전과 수 배열표 2가지 방법으로 구해 보고, 어느 정도 능숙해지면 뺄셈식을 보고 구할 수 있게 도와주세요.

4일 더하기 10, 빼기 10

 관계있는 것끼리 선으로 이으세요.

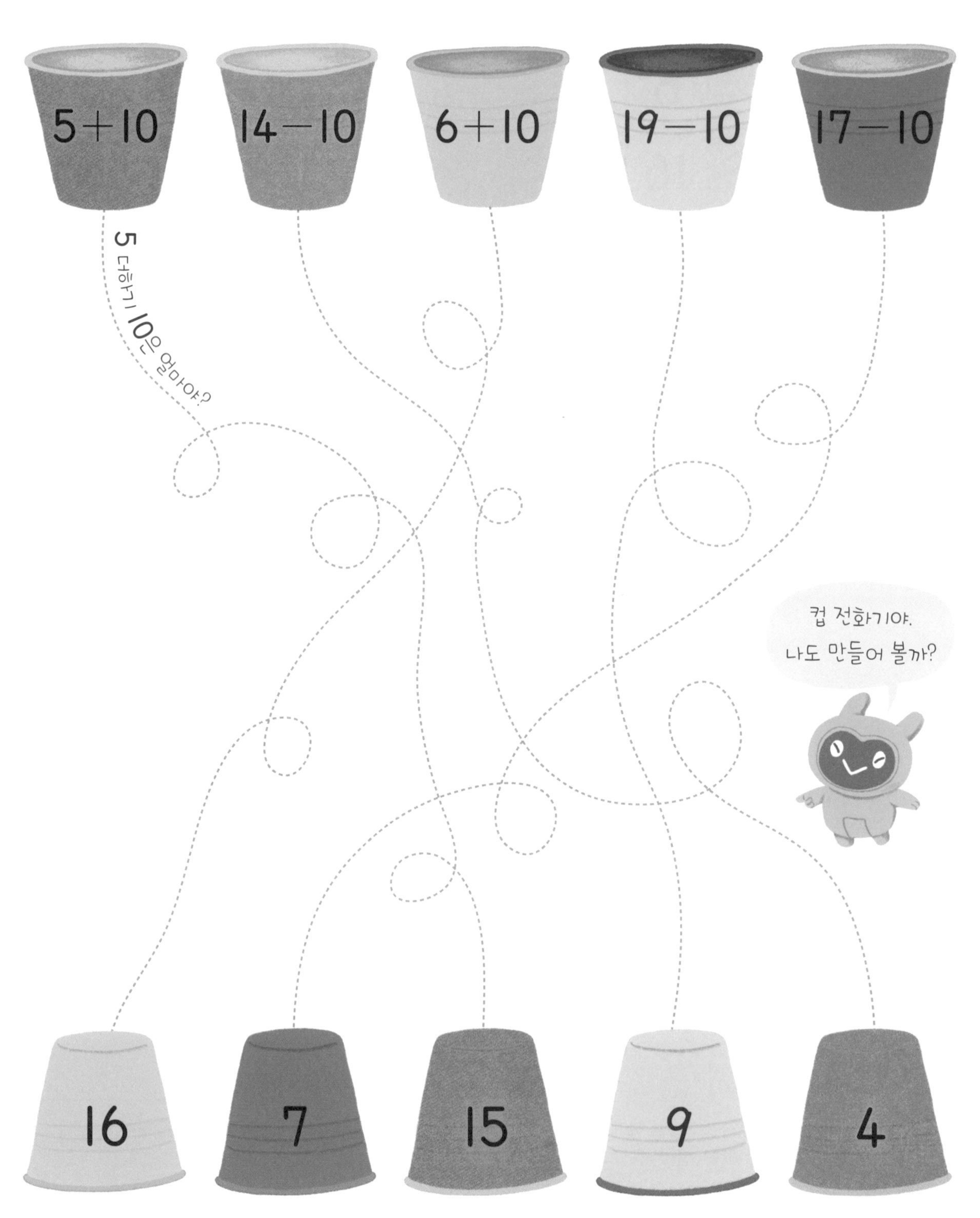

계산을 하세요.

$3 + 10 = \square$

$16 - 10 = \square$

$11 - 10 = \square$

$9 + 10 = \square$

$4 + 10 = \square$

$18 - 10 = \square$

$$\begin{array}{r} 15 \\ -\ 10 \\ \hline \square \end{array} \qquad \begin{array}{r} 2 \\ +\ 10 \\ \hline \square \end{array} \qquad \begin{array}{r} 20 \\ -\ 10 \\ \hline \square \end{array}$$

5일 더하기 빼기 1, 10

알맞은 풍선에 색칠하세요.

계산을 하세요.

$12+1=\square$

$10-1=\square$

$5+10=\square$

$17-10=\square$

$14-1=\square$

$10+10=\square$

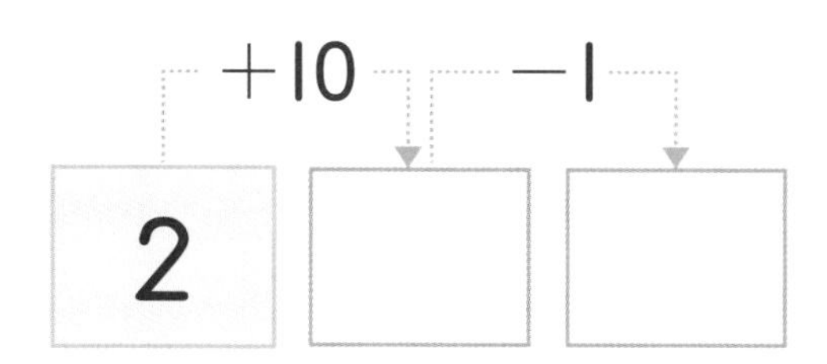

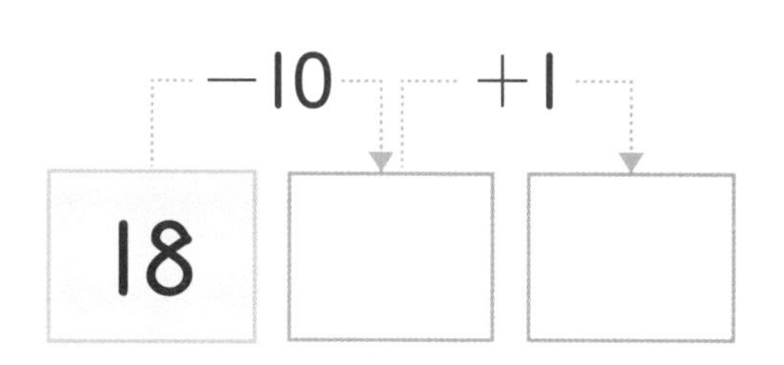

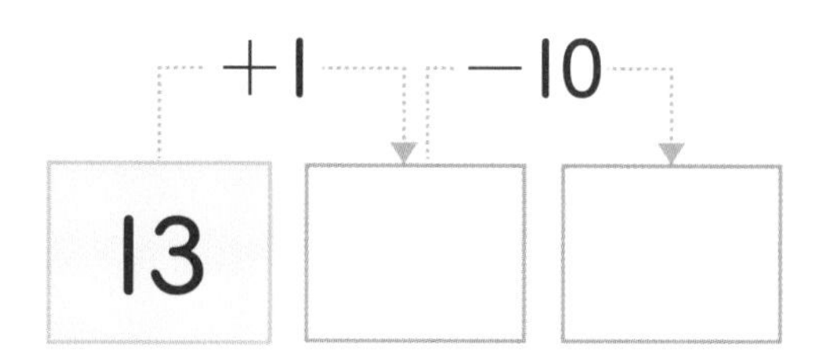

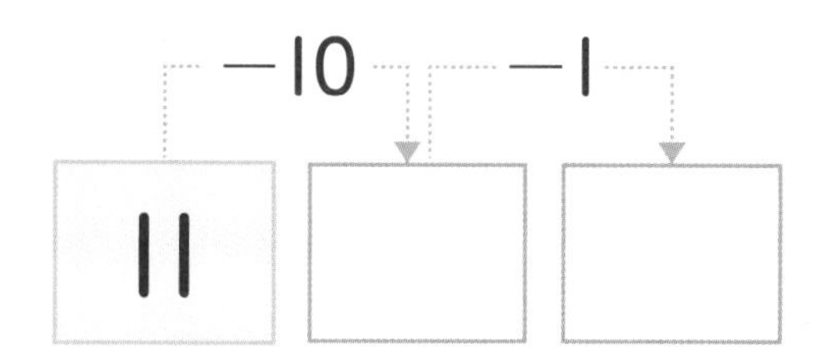

확인학습

10 큰 수와 10 작은 수를 쓰세요.

10 작은 수	3	8	□	□
10 큰 수	□	□	14	19

계산을 하세요.

$14+1=\square$

$17-10=\square$

$5+10=\square$

$10-1=\square$

$16-10=\square$

$2+10=\square$

➡ 43쪽으로 돌아가 4주 차 학습 기준을 달성했는지 체크해 보세요.

마무리 평가에서는 1, 2, 3, 4주 차의 유형이 순서대로 나옵니다.
문제가 틀리면 몇 주 차인지 확인하여 반드시 다시 한번 복습합니다.

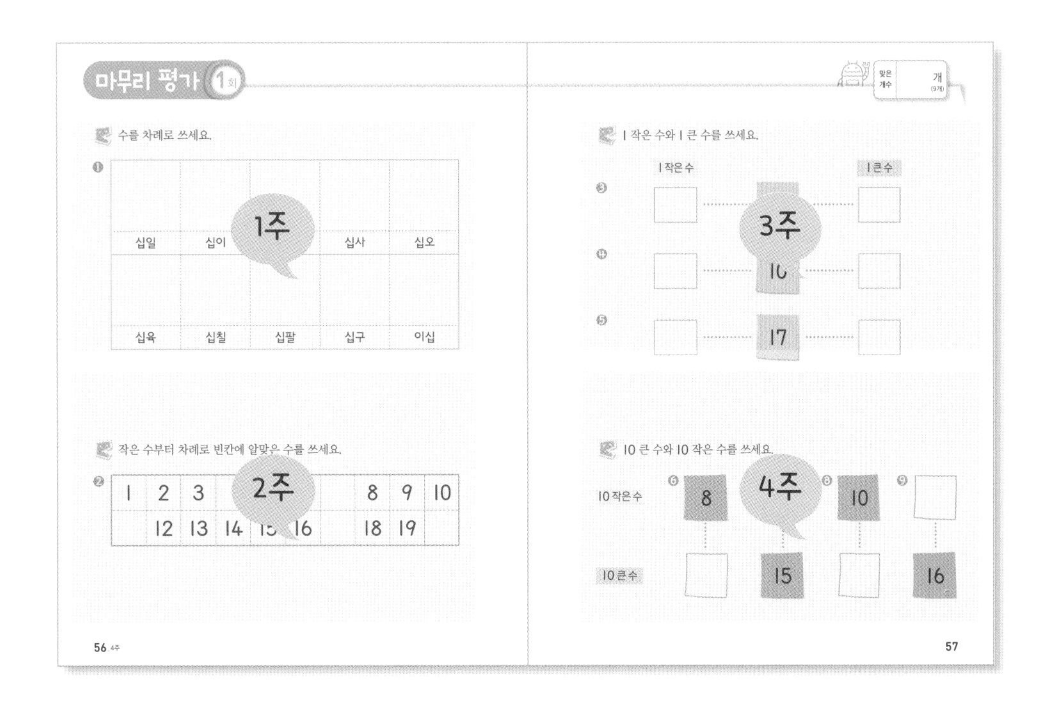

마무리 평가 1회

수를 차례로 쓰세요.

❶

십일	십이	십삼	십사	십오
십육	십칠	십팔	십구	이십

작은 수부터 차례로 빈칸에 알맞은 수를 쓰세요.

❷

1	2	3		5	6		8	9	10
	12	13	14	15	16		18	19	

1 작은 수와 1 큰 수를 쓰세요.

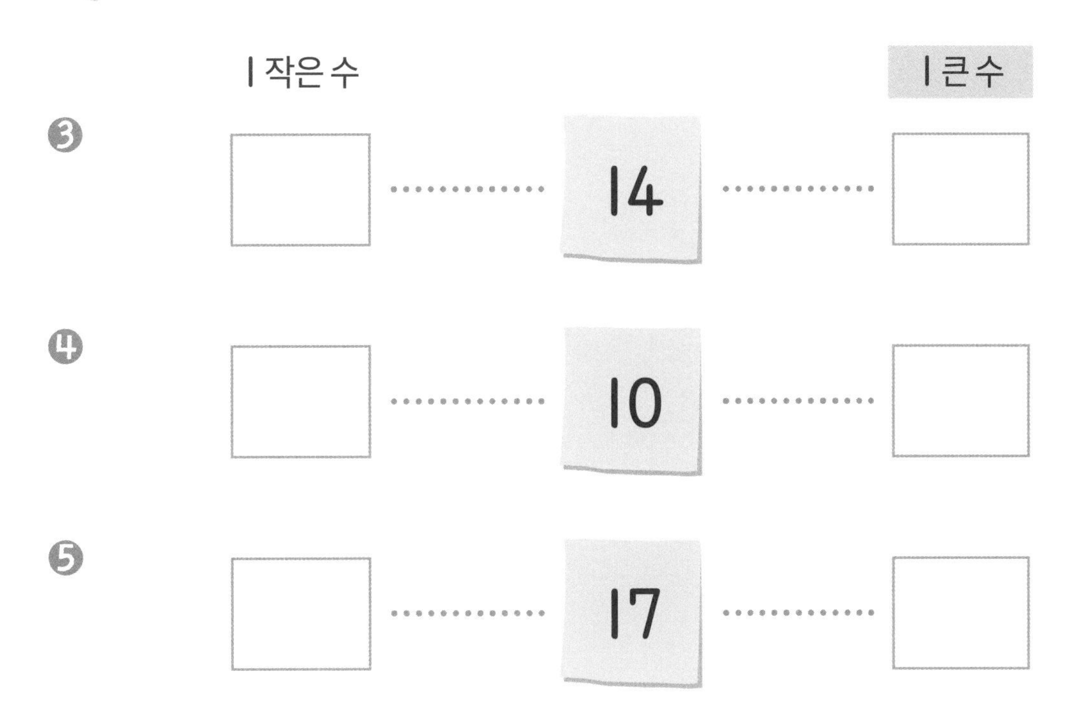

10 큰 수와 10 작은 수를 쓰세요.

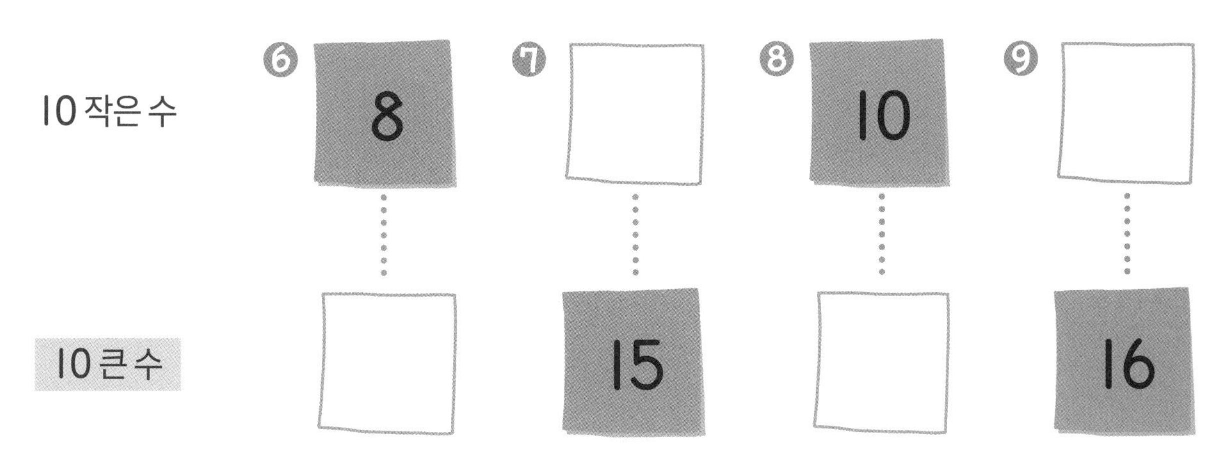

마무리 평가 2회

각각 세어 보고 수를 쓰세요.

❶

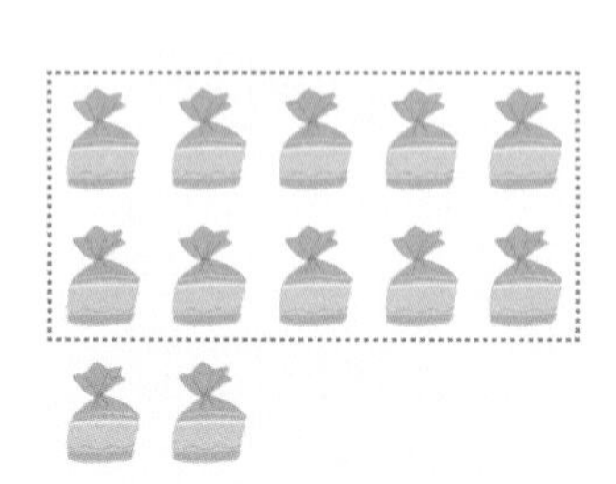

□

❷

□

작은 수부터 차례로 쓴 것입니다. 잘못 쓴 것에 ×표 하세요.

❸

9 10 13 11 12

❹

15 16 17 18 20

○ 하나를 더 색칠하고, 더하기 1을 계산하세요.

❺

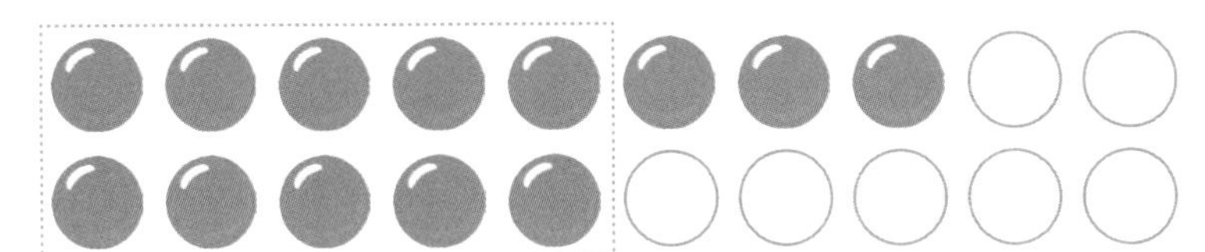

$13 + 1 = \square$

❻

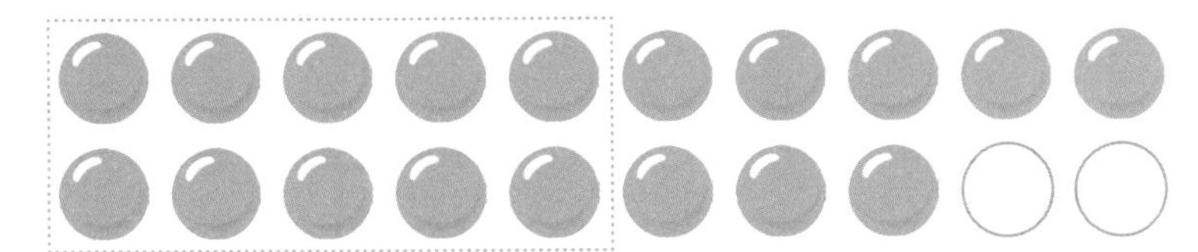

$18 + 1 = \square$

동전을 보고 더하기 10을 계산하세요.

❼

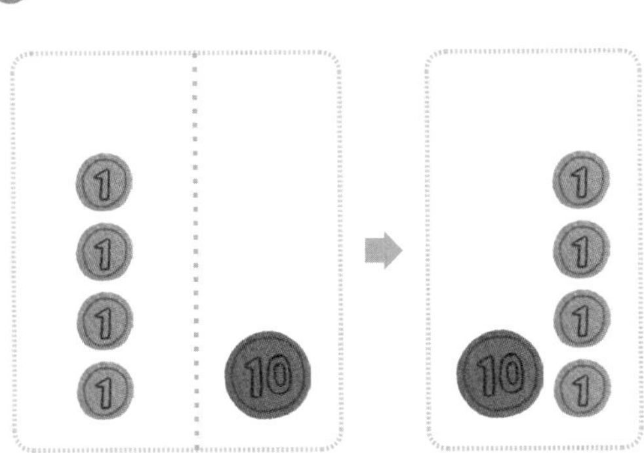

$4 + 10 = \square$

❽

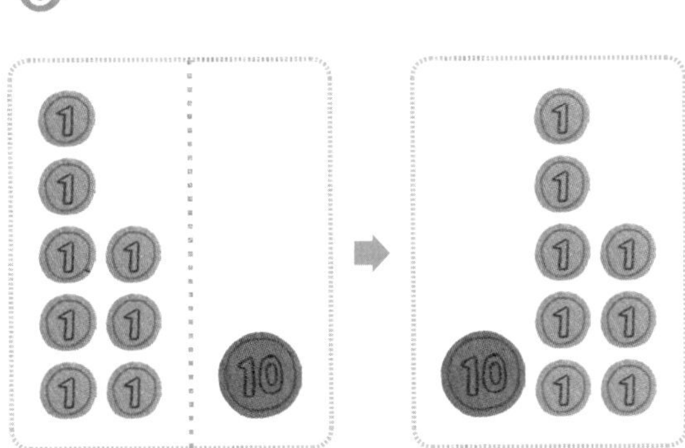

$8 + 10 = \square$

마무리 평가 3회

10개씩 묶고 수를 세어 보세요.

❶

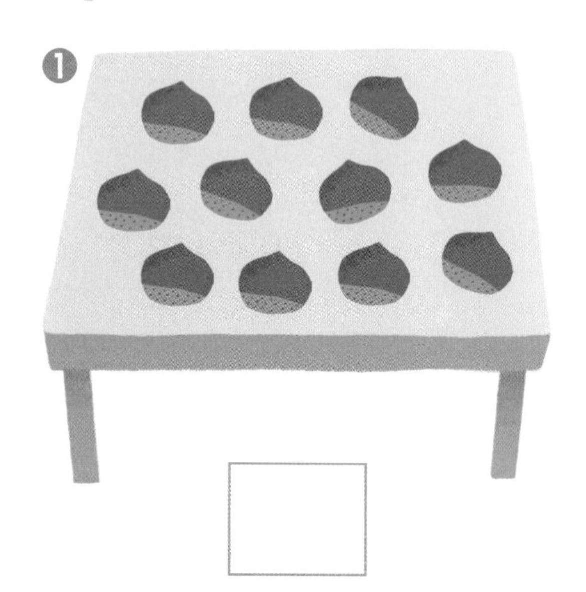

❷

20부터 11까지 수를 거꾸로 이어 미로를 빠져 나가세요.

❸

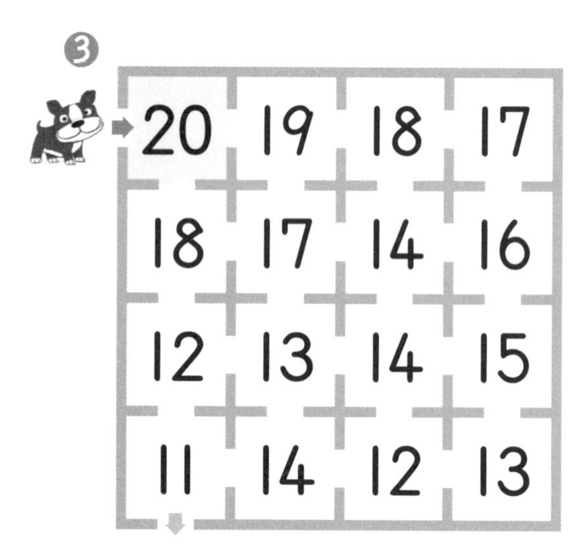

❹

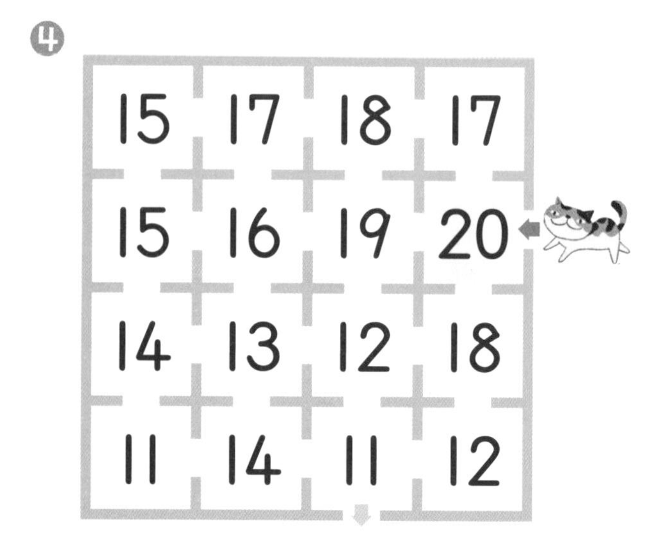

1 작은 수를 쓰고, 빼기 1을 계산하세요.

5

13 − 1 = ☐

6

18 − 1 = ☐

10 작은 수를 쓰고, 빼기 10을 계산하세요.

7

1		3
11	12	13

12 − 10 = ☐

8

5		7
15	16	17

16 − 10 = ☐

마무리 평가 4회

금액을 쓰고 ⑩ 동전을 이용하여 바꾸어 붙이세요.

❶

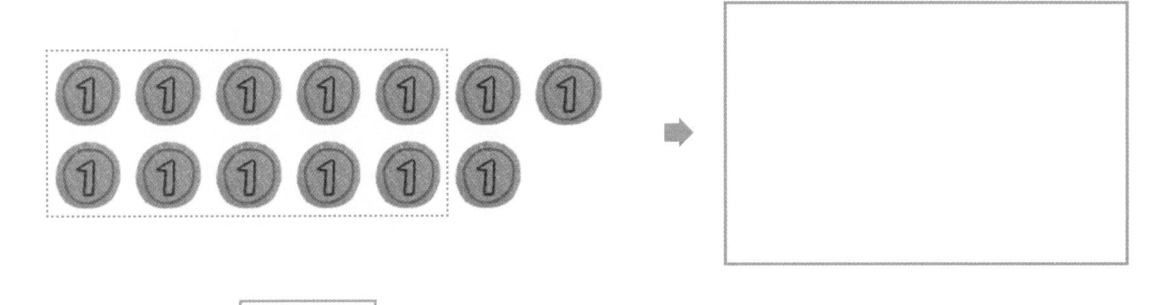

☐원

주어진 수를 큰 수부터 차례로 쓰세요.

❷

☐-☐-☐-☐

❸

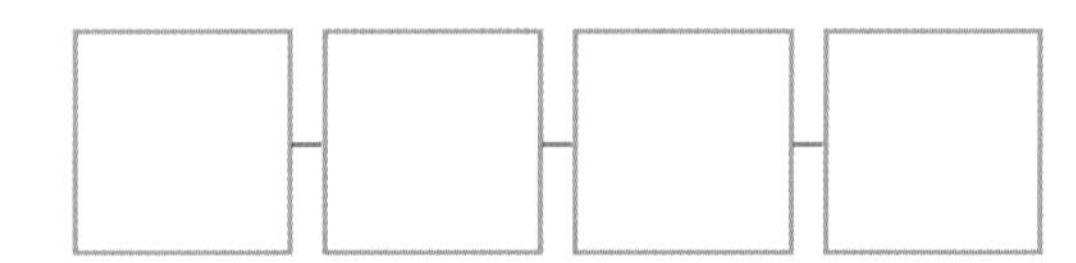

바르게 계산한 길을 따라 선을 그으세요.

❹

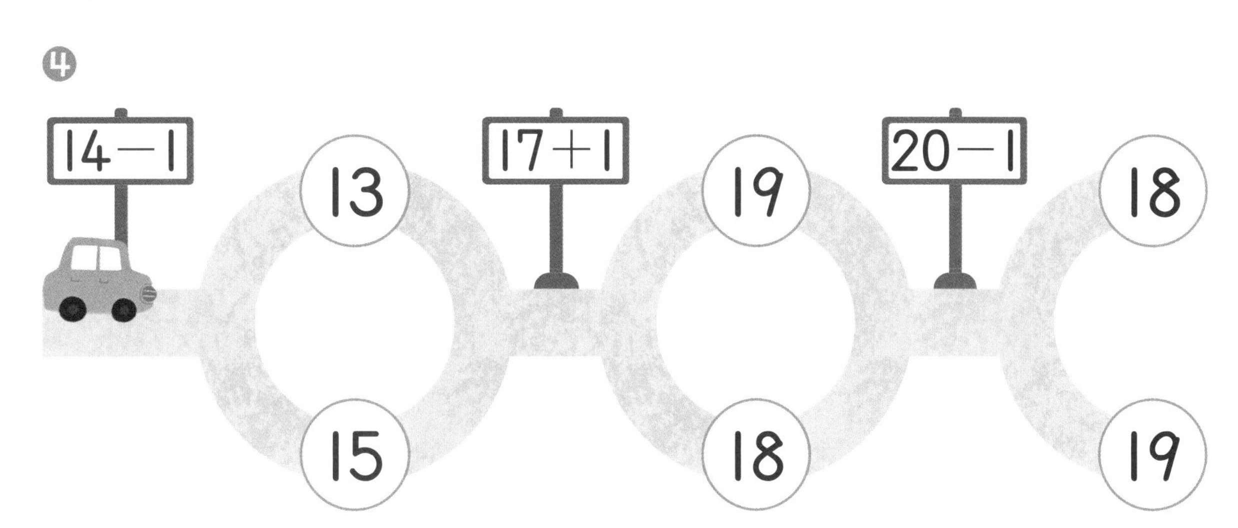

계산을 하세요.

❺ $7+10=\square$

❻ $15-10=\square$

❼ $11-10=\square$

❽ $6+10=\square$

마무리 평가 5회

얼마일까요?

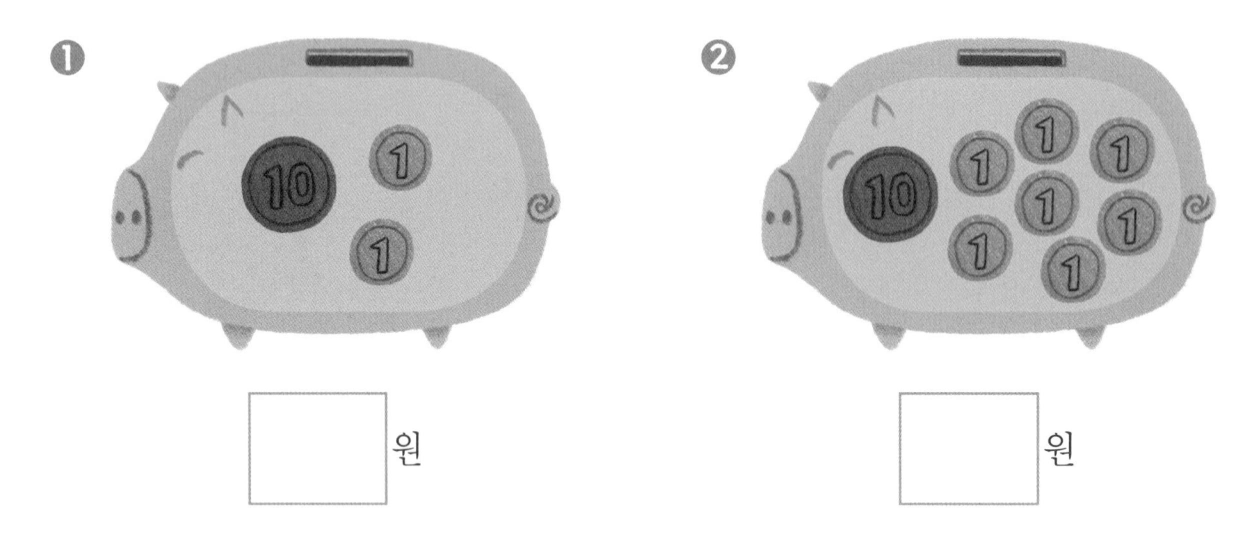

사물함에 번호가 빠졌어요. 규칙에 맞게 빈 곳에 알맞은 수를 쓰세요.

❸

17		9	5	1
18	14	10	6	2
		11	7	3
20		12		4

맞은 개수 　　개 (9개)

알맞은 식을 찾아 색칠하세요.

❹

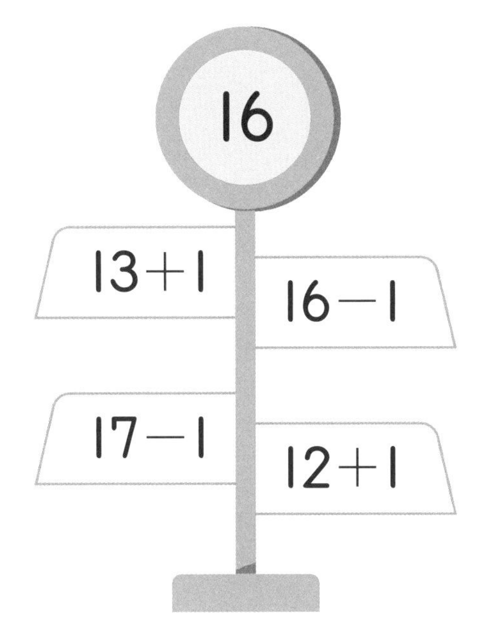

❺

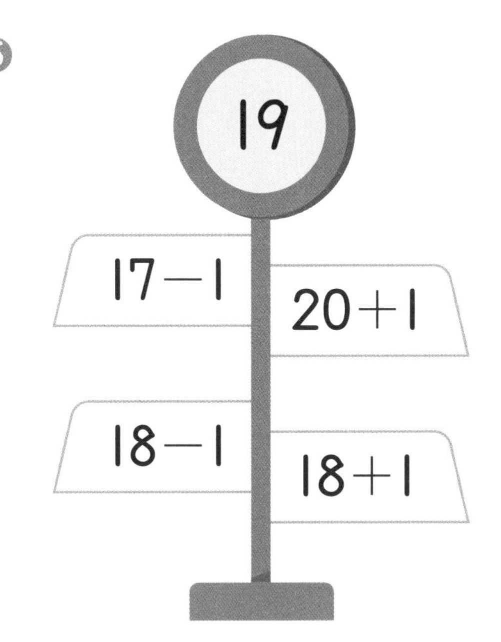

계산을 하세요.

❻ $15-1=\square$

❼ $8+10=\square$

❽ $12-10=\square$

❾ $14+1=\square$

실력 평가 ➡ 67쪽

MEMO

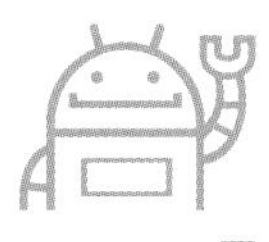

실력 평가

6세 3권

시간	3분	문제 수	20개
배점	1문제 5점 / 총 100점		

날짜: ______ 월 ______ 일

이름: ____________

점수: ______ 점

실력 평가

❶ $6+1=$

❷ $15+1=$

❸ $12+1=$

❹ $19+1=$

❺ $14+1=$

❻ $1+10=$

❼ $6+10=$

❽ $3+10=$

❾ $7+10=$

❿ $10+10=$

⓫ $8-1=$

⓬ $13-1=$

⓭ $16-1=$

⓮ $11-1=$

⓯ $20-1=$

⓰ $17-10=$

⓱ $12-10=$

⓲ $15-10=$

⓳ $14-10=$

⓴ $19-10=$

유아 연산의 기준

칸토의 연산

정답

20까지의 수에서

더하기·빼기 1, 10

정답

1주: 20까지의 수

8쪽 · 9쪽

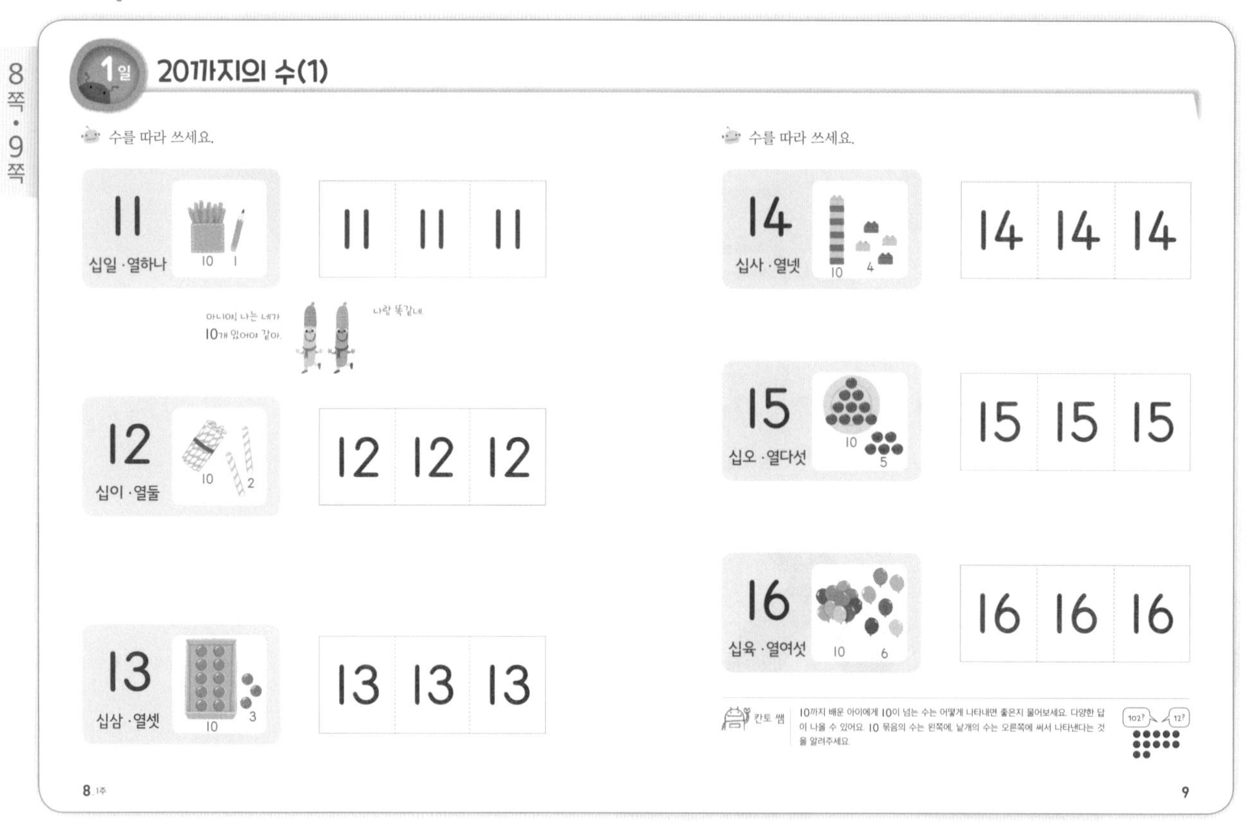

10쪽 · 11쪽

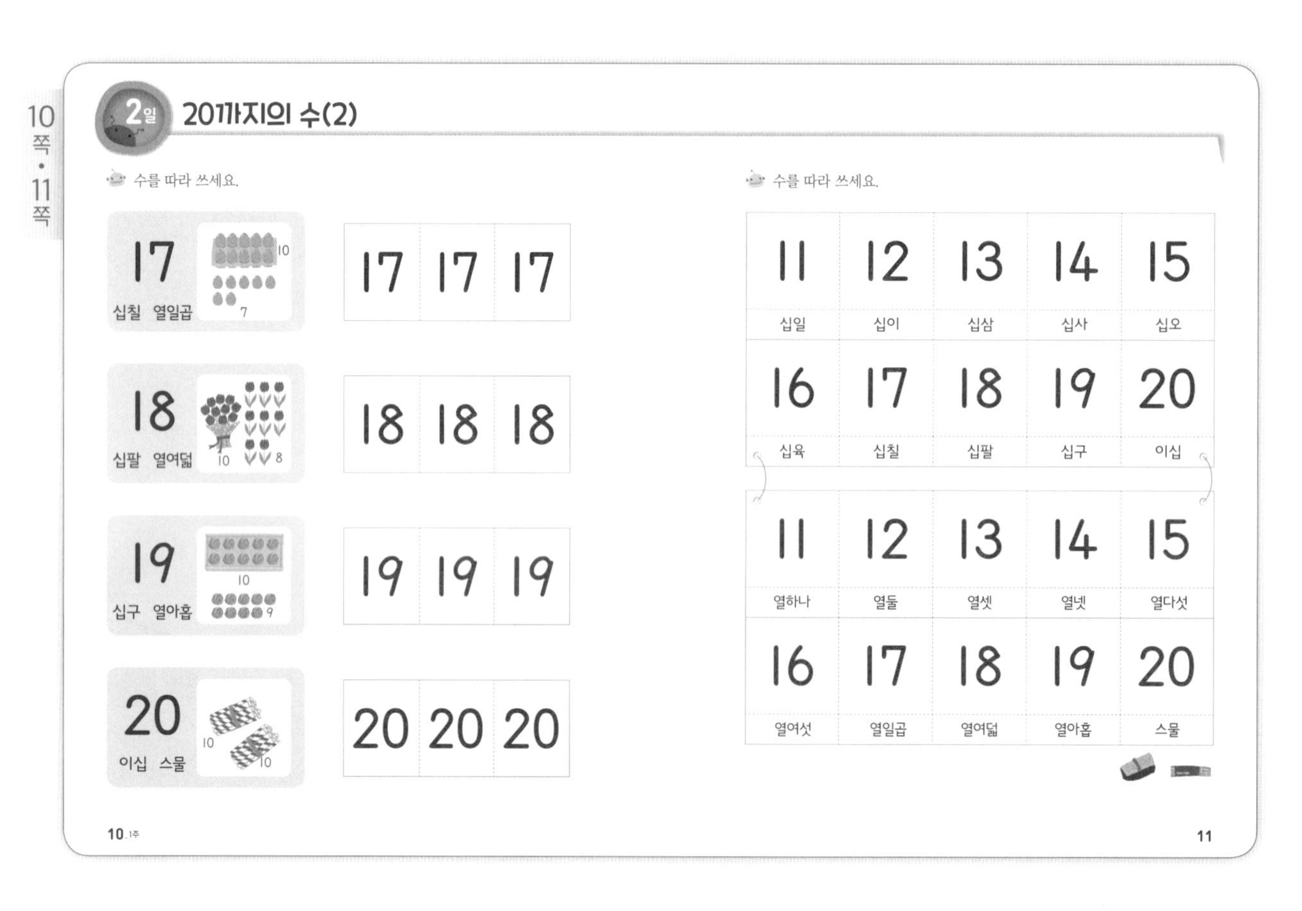

12쪽 · 13쪽

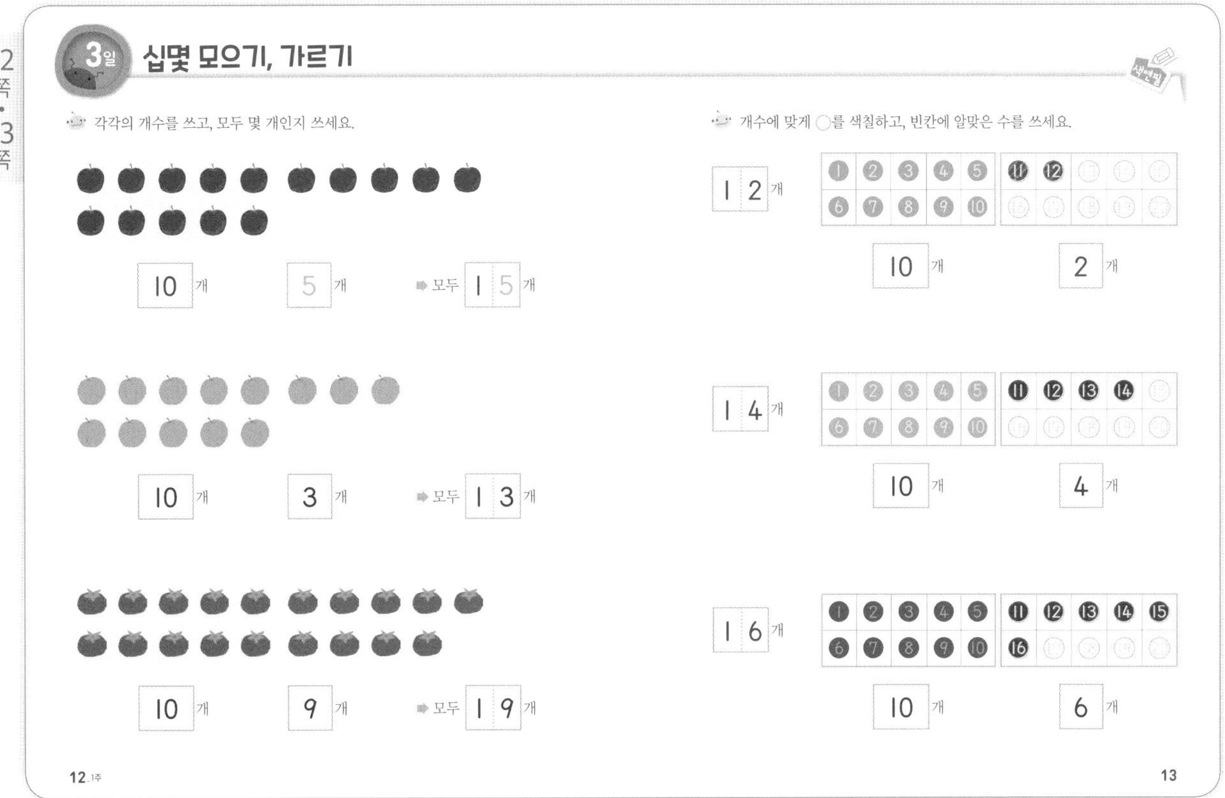
3일 십몇 모으기, 가르기

각각의 개수를 쓰고, 모두 몇 개인지 쓰세요.

10 개 5 개 ➡ 모두 15 개

10 개 3 개 ➡ 모두 13 개

10 개 9 개 ➡ 모두 19 개

개수에 맞게 ○를 색칠하고, 빈칸에 알맞은 수를 쓰세요.

12 개 → 10 개 2 개

14 개 → 10 개 4 개

16 개 → 10 개 6 개

12 1주 13

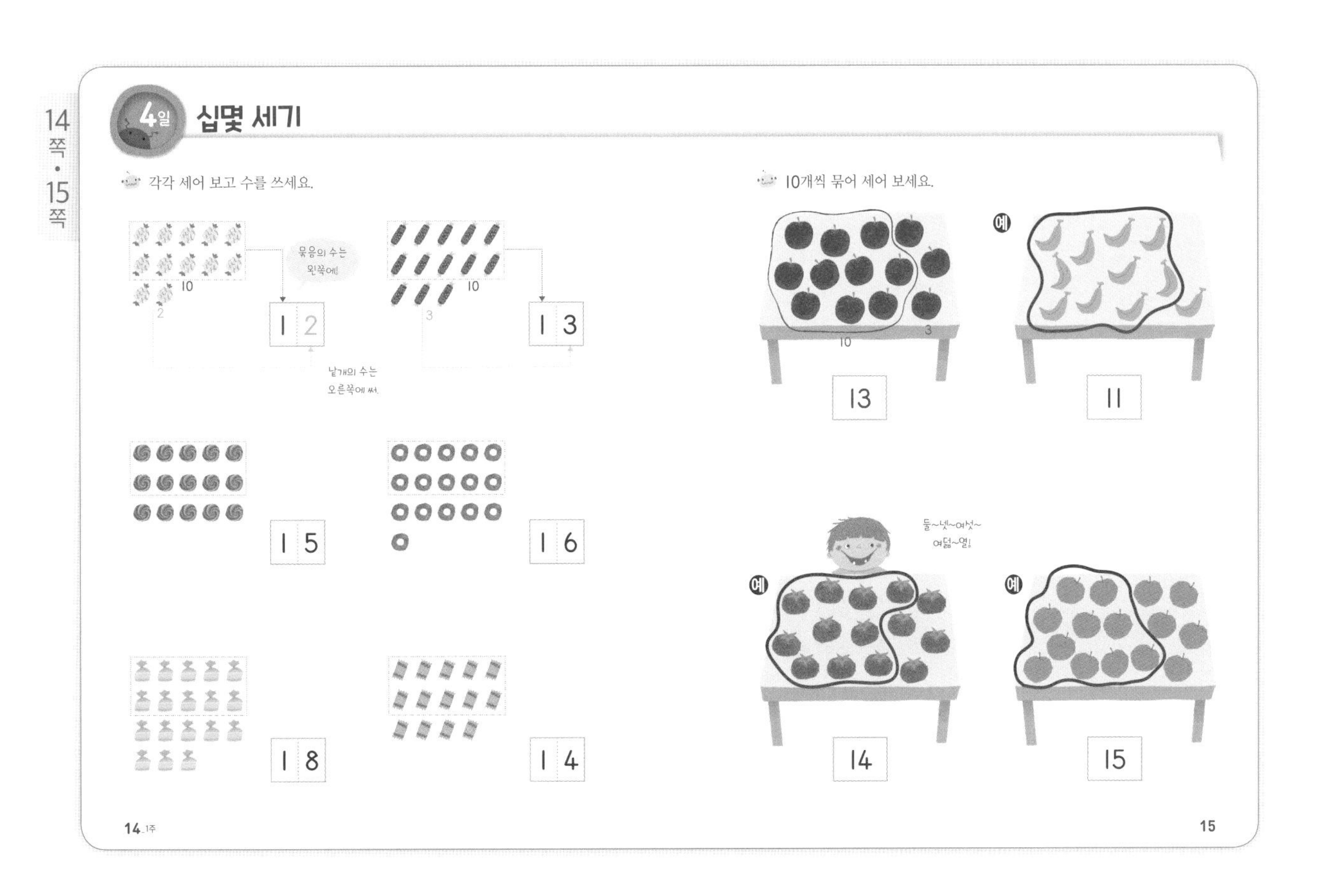
14쪽 · 15쪽

4일 십몇 세기

각각 세어 보고 수를 쓰세요.

12 13

15 16

18 14

10개씩 묶어 세어 보세요.

13 예 11

예 14 예 15

14 1주 15

16쪽·17쪽

5일 금액 세기

금액을 쓰고 10 동전을 이용하여 바꾸어 붙이세요.

12 원

10원 10개는
10원 1개와 같아.

14 원

15 원

금액을 세어 빈칸에 알맞은 수를 쓰세요.

10 11 12 13

13 원

14 원

1원 1개는
1원 10개와 같아.

17 원

20 원

칸토 쌤 보이지 않는 것을 머릿속으로 세는 것은 아이들에게 아직 어려워요. 동전이 그중 대표적인 경우예요. 10원짜리 동전 1개는 1원짜리 동전 10개와 같다는 것을 반복해서 알려주세요. 생일 케이크의 큰 초와 작은 초를 이용하는 것도 좋은 방법이에요.

16 1주 17

18쪽

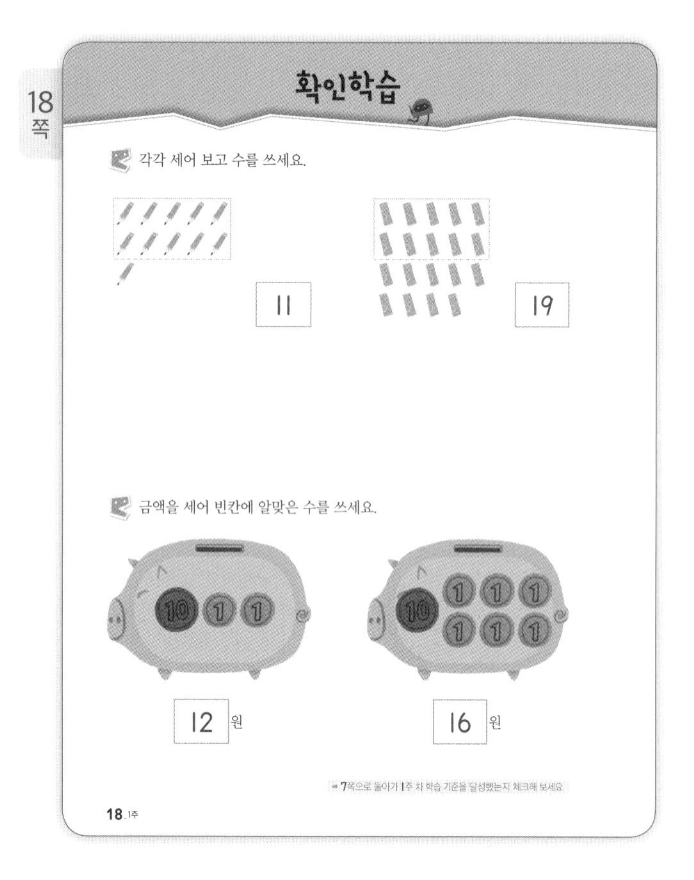

확인학습

각각 세어 보고 수를 쓰세요.

11

19

금액을 세어 빈칸에 알맞은 수를 쓰세요.

12 원

16 원

⇒ 7쪽으로 돌아가 1주 차 학습 기준을 달성했는지 체크해 보세요.

18 1주

1주

2주: 20까지의 수의 순서

20쪽 · 21쪽

1일 11부터 20까지

작은 수부터 차례로 빈칸에 알맞은 수를 쓰세요.

오른쪽으로 가면 1씩, 아래로 가면 10씩 커져.

1	2	3	4	5	6	7	8	9	10
11	12	13	14	15	16	17	18	19	20

왼쪽으로 가면 1씩, 위로 가면 10씩 작아져.

1	2	3	4	5	6	7	8	9	10
11	12	13	14	15	16	17	18	19	20

1	2	3	4	5	6	7	8	9	10
11	12	13	14	15	16	17	18	19	20

규칙을 찾아 빈 곳에 알맞은 수를 쓰세요.

칸토 쌤 | 1부터 20까지 수의 순서를 잘 알고 있는지 알아보는 활동이에요.
위의 20판으로 주사위를 던져 말 옮기기 게임을 해 보세요. 게임보다 더 좋은 수학 공부는 없답니다.

3칸 앞으로!

22쪽 · 23쪽

2일 작은 수부터

가게에서 구슬 사탕을 작은 수부터 이어서 팔아요. 잘못 이어진 수에 ╳표 하세요.

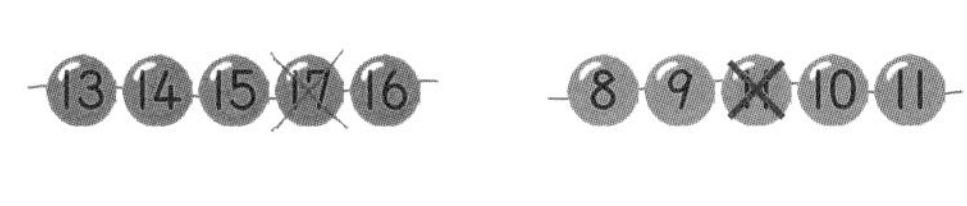

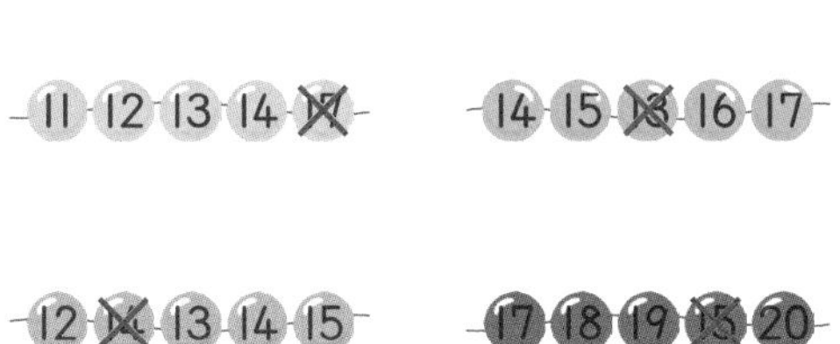

주어진 수를 작은 수부터 차례로 쓰세요.

16	14	17	15
14	15	16	17

12	9	10	11
9	10	11	12

15	14	12	13
12	13	14	15

19	17	20	18
17	18	19	20

16	18	15	17
15	16	17	18

제일 앞에 오는 수부터 찾아야 해.

칸토 쌤 | 20까지 수의 순서를 어느 정도 알고 있으면 아이와 번갈아 가며 수 말하기 게임을 해 보세요. 준비물이 따로 필요하지 않아 어디서든 할 수 있는 게임이에요.

1 2 3 4

24쪽·25쪽

3일 20부터 11까지

20부터 수를 거꾸로 말하며 선으로 이으세요.

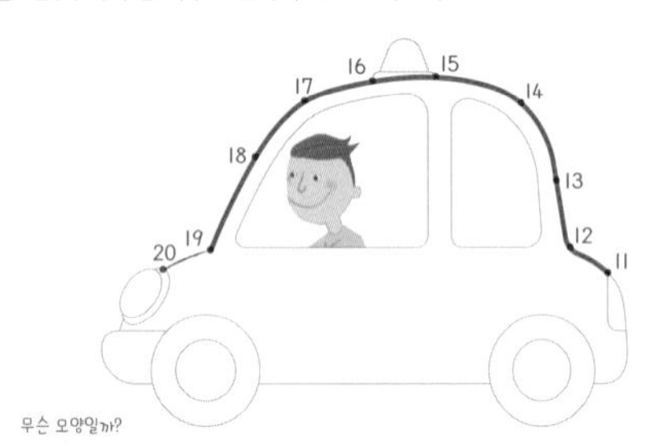

우슨 모양일까?

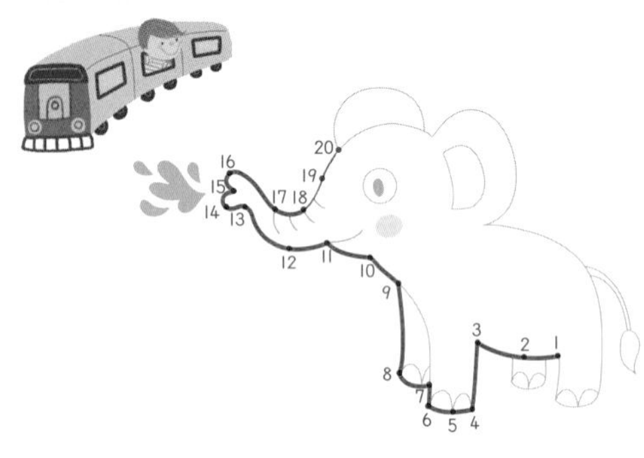

20부터 11까지 수를 거꾸로 이어 미로를 빠져 나가세요.

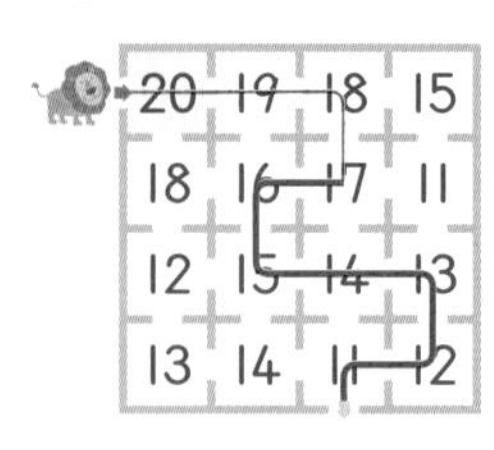

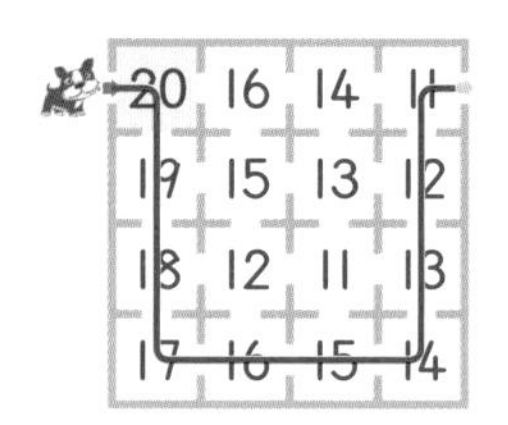

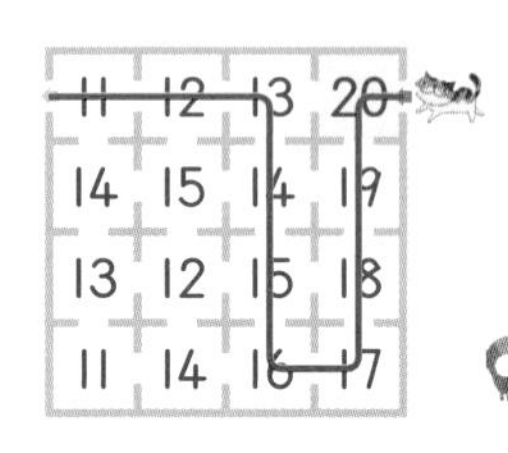

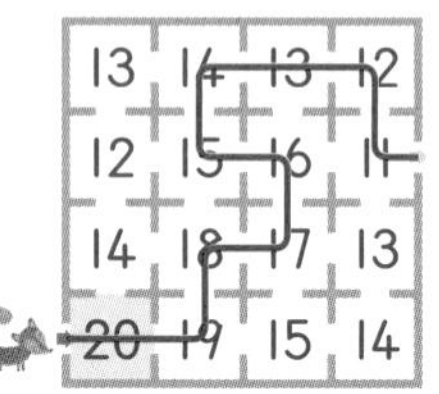

칸토 쌤 '앞으로 수 세기'는 더하기의 기초가 되고 '거꾸로 수 세기'는 빼기의 기초가 되는 개념이에요. 앞으로 세기와 거꾸로 세기 둘 다 능숙하게 할 수 있도록 다양한 방법으로 연습해 주세요.

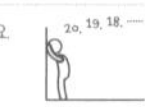

26쪽·27쪽

4일 큰 수부터

큰 수부터 나오는 비눗방울이에요. 빈 곳에 알맞은 수를 쓰세요.

14 13 (12) 11 12 11 10 (9)

16 (15) 14 13 15 14 (13) 12

(20) 19 18 17 18 (17) 16 15

주어진 수를 큰 수부터 차례로 쓰세요.

12 11 14 13 → 14 - 13 - 12 - 11

9 10 11 8 → 11 - 10 - 9 - 8

큰 수부터 먹을래.

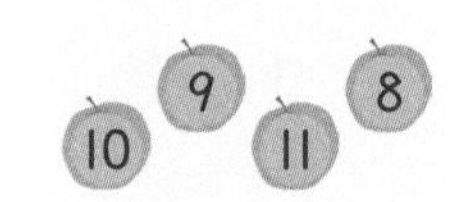

16 15 14 17 → 17 - 16 - 15 - 14

17 16 19 18 → 19 - 18 - 17 - 16

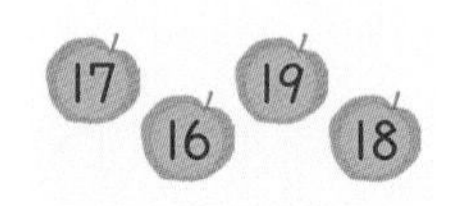

28쪽 · 29쪽

30쪽

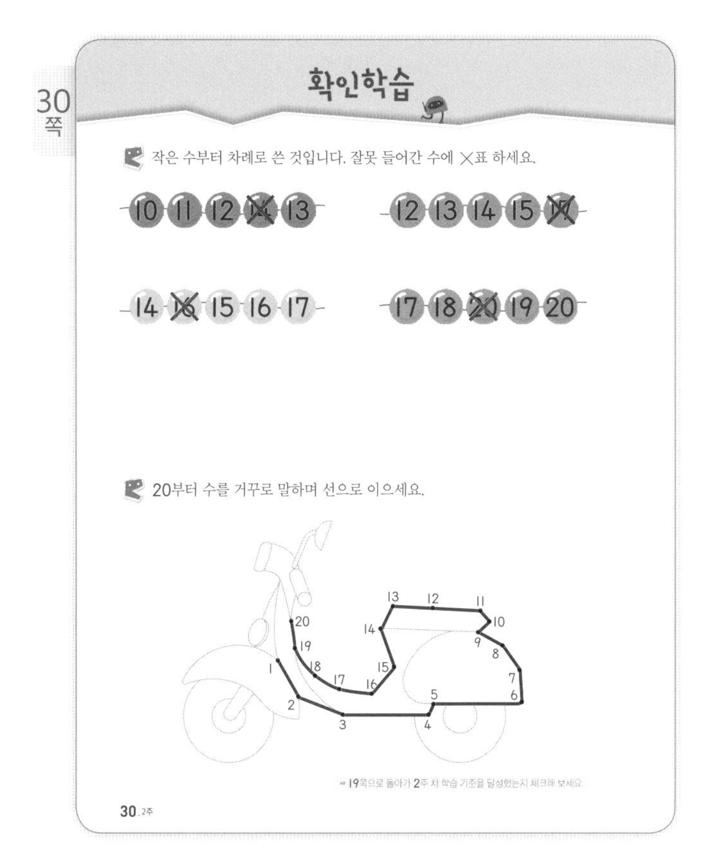

2주

정답

3주: 20까지의 수에서 더하기·빼기 1

32쪽 · 33쪽

1일 1 큰 수, 1 작은 수

1원짜리 동전 딱지를 하나 더 붙이고, 1 큰 수를 쓰세요.

12 → 13

⑩ = (10개의 점)

15 → 16

1원짜리 동전 하나를 /으로 지우고, 1 작은 수를 쓰세요.

13 → 12

18 → 17

1 큰 수와 1 작은 수를 쓰세요.

0	1	2	3	4	5	6	7	8	9	10

왼쪽 1 작은 수		1 큰 수 오른쪽
10	11	12
15	16	17
13	14	15
16	17	18
18	19	20

칸토 쌤 | 수의 양과 수의 순서를 이용하여 1 큰 수와 1 작은 수를 알아보는 활동이에요. 더하기 1과 빼기 1의 기초가 되는 개념이므로 반복하여 연습해 주세요.

1 큰 수 → 더하기 1

34쪽 · 35쪽

2일 더하기 1

○ 하나를 더 색칠하고, 더하기 1을 계산하세요.

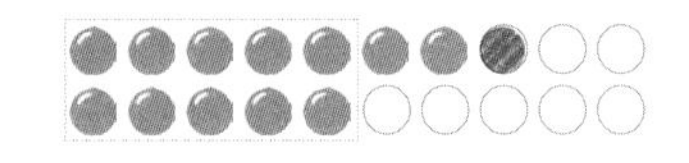

$12+1=$ 13

12 더하기 1은 13이야.

$14+1=$ 15

$10+1=$ 11

$17+1=$ 18

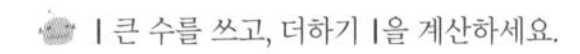

1 큰 수를 쓰고, 더하기 1을 계산하세요.

$13+1=$ 14

더하기 1은 1 큰 수야.

9 10 11

$10+1=$ 11

15 16 17

$16+1=$ 17

17 18 19

$18+1=$ 19

10 11 12

$11+1=$ 12

18 19 20

$19+1=$ 20

칸토 쌤 | 6세 2권에서는 10까지의 수에서 더하기 1을 배웠어요. 이번에는 20까지의 수로 확장하여 더하기 1을 공부해요. 점 수판과 수의 순서 2가지 방법으로 더하기 1을 계산할 수 있도록 해요.

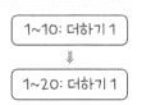

36쪽·37쪽

3일 빼기 1

구슬 하나를 지워 뺄셈을 하세요.

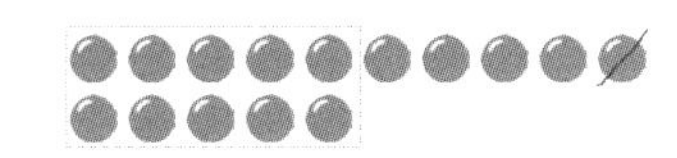

15 − 1 = 14

15 빼기 1은 14야.

12 − 1 = 11

17 − 1 = 16

20 − 1 = 19

1 작은 수를 쓰고, 빼기 1을 계산하세요.

13 14 15 — 14 − 1 = 13

빼기 1은 1 작은 수야.

10 11 12 — 11 − 1 = 10

15 16 17 — 16 − 1 = 15

18 19 20 — 20 − 1 = 19

9 10 11 — 10 − 1 = 9

18 19 20 — 19 − 1 = 18

칸토 쌤 | 6세 2권에서는 10까지의 수에서 빼기 1을 배웠어요. 20까지로 수를 확장하여 더하기 1을 공부한 것과 같이 빼기 1도 20까지의 수로 확장하여 공부해요. 점 수판과 수의 순서 2가지 방법으로 빼기 1을 계산할 수 있도록 해요.

1~10: 빼기 1 → 1~20: 빼기 1

38쪽·39쪽

4일 더하기 1, 빼기 1

1 큰 수와 1 작은 수를 쓰고, 더하기 1 빼기 1을 계산하세요.

14 …… 15 …… 16 (1 작은 수, 1 큰 수)

15 − 1 = 14
15 + 1 = 16

11 …… 12 …… 13 (1 작은 수, 1 큰 수)

12 − 1 = 11
12 + 1 = 13

18 …… 19 …… 20 (1 작은 수, 1 큰 수)

19 − 1 = 18
19 + 1 = 20

12 …… 13 …… 14 (1 작은 수, 1 큰 수)

13 − 1 = 12
13 + 1 = 14

바르게 계산한 길을 따라 선을 그으세요.

13+1, 20−1, 12+1 / 12, 19, 11, 14, 18, 13

18−1, 11+1, 16−1 / 17, 13, 14, 19, 12, 15

칸토 쌤 | 아이와 수 카드를 1장씩 뒤집어 더하기 1 말하기 게임을 해 보세요. 엄마보다 아이가 이기는 횟수가 더 많도록 게임을 조절해 주세요. 아이가 어느 정도 능숙해지면 빼기 1 말하기 게임도 해 보세요.

40쪽 · 41쪽

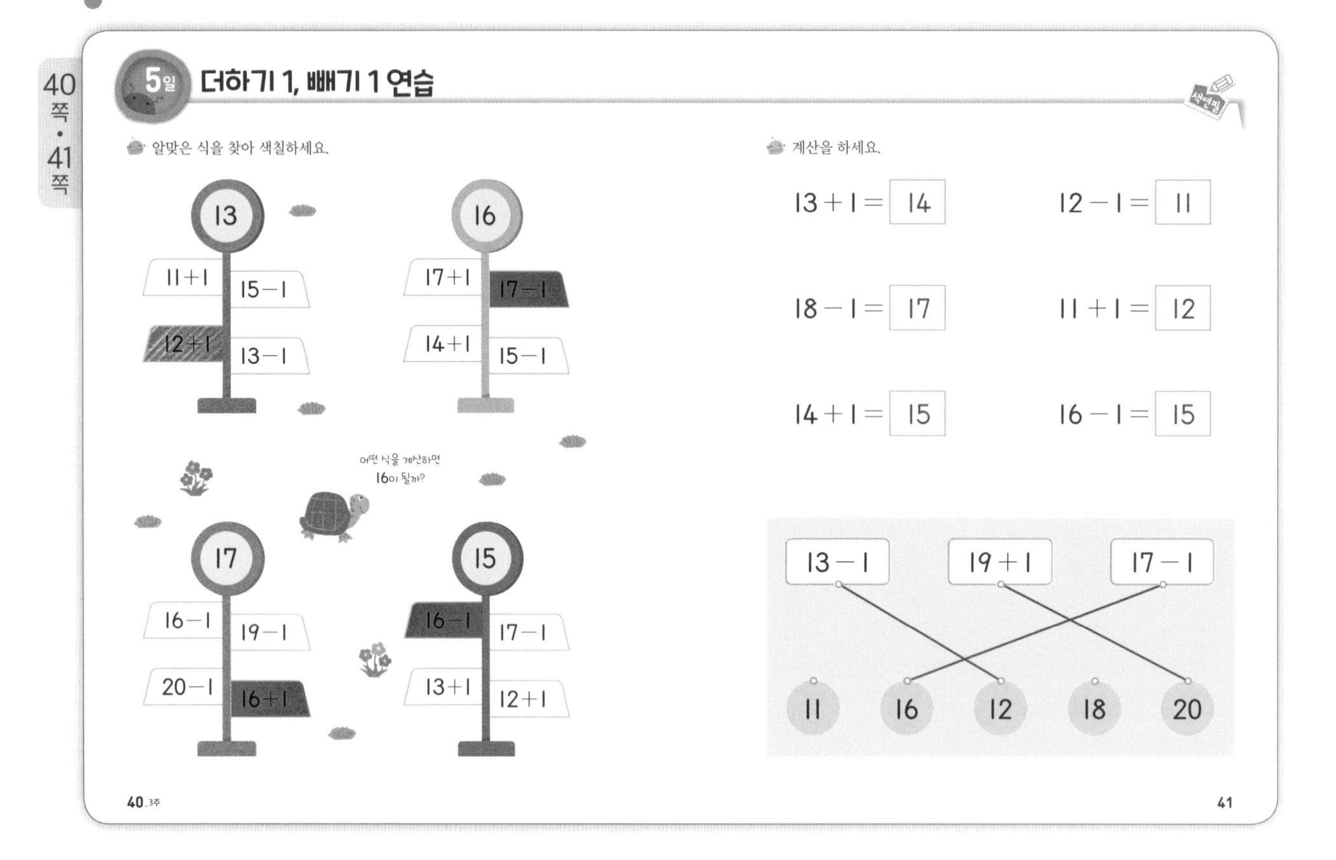
5일 더하기 1, 빼기 1 연습
알맞은 식을 찾아 색칠하세요.
13
11+1
15−1
12+1
13−1
16
17+1
17−1
14+1
15−1
어떤 식을 계산하면 16이 될까?
17
16−1
19−1
20−1
16+1
15
16−1
17−1
13+1
12+1
계산을 하세요.
13+1= 14
12−1= 11
18−1= 17
11+1= 12
14+1= 15
16−1= 15
13−1
19+1
17−1
11
16
12
18
20
40 3주
41

42쪽

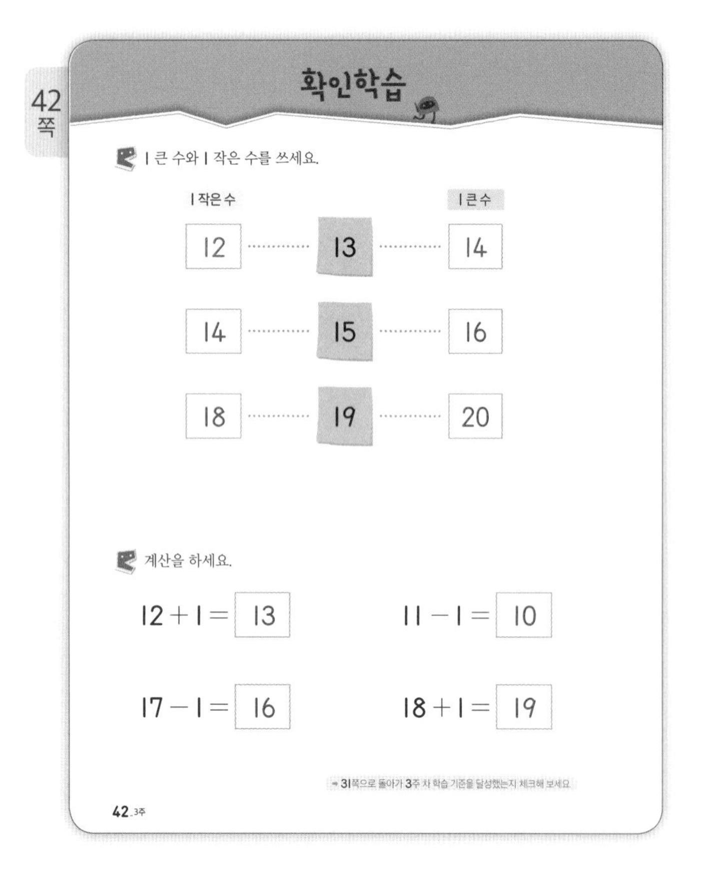
확인학습
1 큰 수와 1 작은 수를 쓰세요.
1 작은 수
1 큰 수
12
13
14
14
15
16
18
19
20
계산을 하세요.
12+1= 13
11−1= 10
17−1= 16
18+1= 19
42 3주

3주

4주: 20까지의 수에서 더하기·빼기 1, 10

44쪽·45쪽

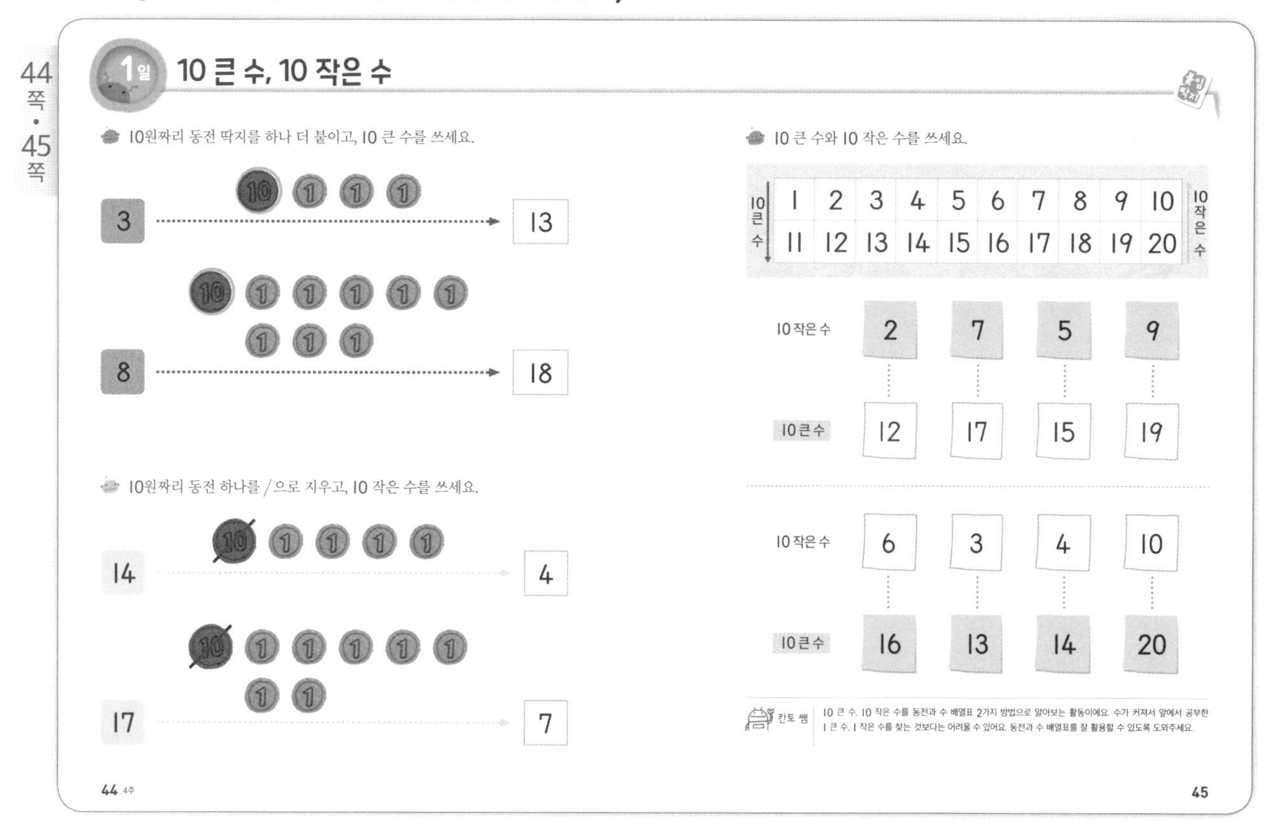

1일 10 큰 수, 10 작은 수

10원짜리 동전 딱지를 하나 더 붙이고, 10 큰 수를 쓰세요.

3 → 13

8 → 18

10원짜리 동전 하나를 / 으로 지우고, 10 작은 수를 쓰세요.

14 → 4

17 → 7

10 큰 수와 10 작은 수를 쓰세요.

10 큰 수	1	2	3	4	5	6	7	8	9	10	10 작은 수
	11	12	13	14	15	16	17	18	19	20	

10 작은 수	2	7	5	9
10 큰 수	12	17	15	19

10 작은 수	6	3	4	10
10 큰 수	16	13	14	20

칸토 쌤 | 10 큰 수, 10 작은 수를 동전과 수 배열표 2가지 방법으로 알아보는 활동이에요. 수가 커져서 앞에서 공부한 1 큰 수, 1 작은 수를 찾는 것보다는 어려울 수 있어요. 동전과 수 배열표를 잘 활용할 수 있도록 도와주세요.

44 4주 / 45

46쪽·47쪽

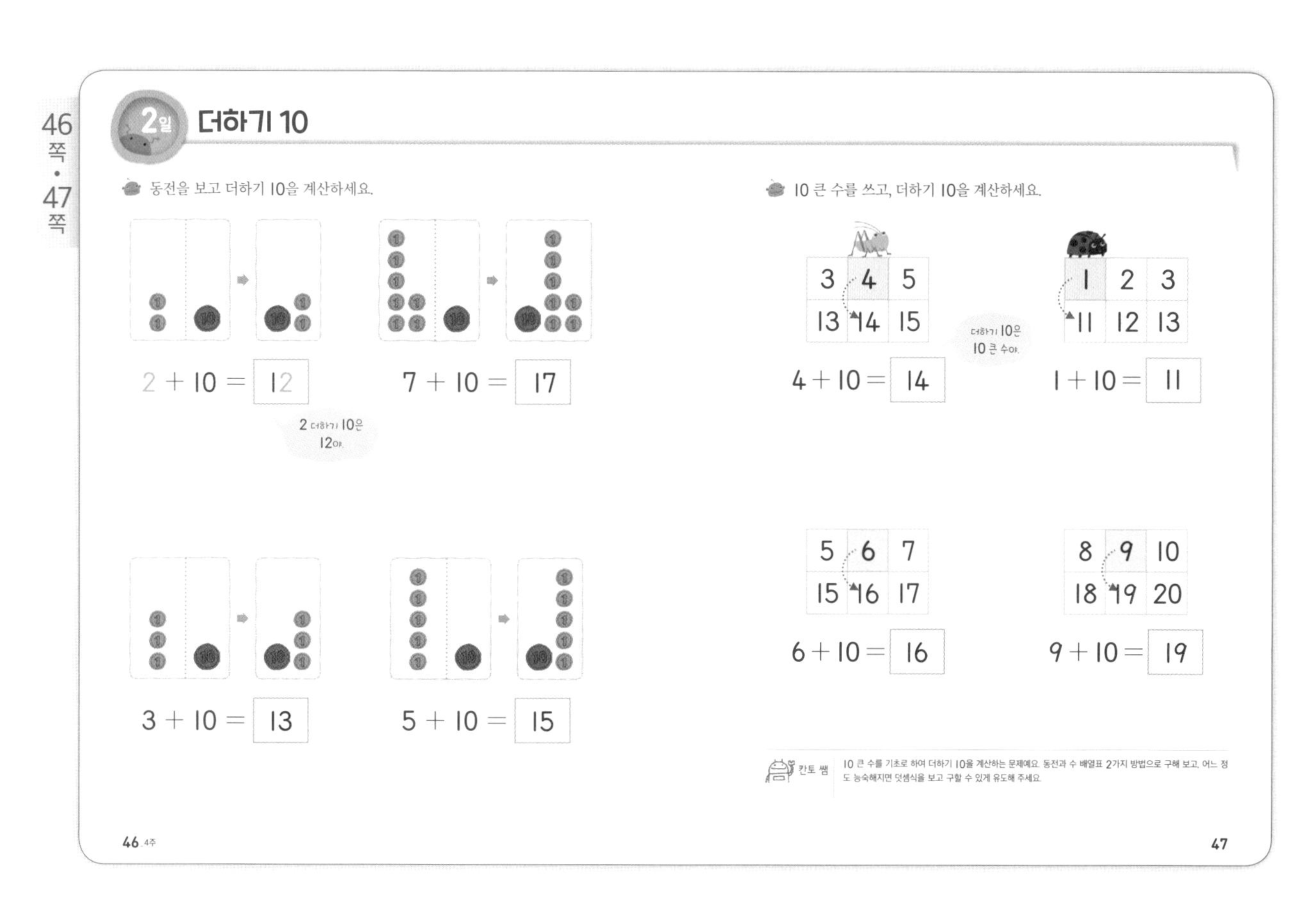

2일 더하기 10

동전을 보고 더하기 10을 계산하세요.

$2 + 10 =$ 12

2 더하기 10은 12야.

$7 + 10 =$ 17

$3 + 10 =$ 13

$5 + 10 =$ 15

10 큰 수를 쓰고, 더하기 10을 계산하세요.

3	4	5
13	14	15

$4 + 10 =$ 14

더하기 10은 10 큰 수야.

1	2	3
11	12	13

$1 + 10 =$ 11

5	6	7
15	16	17

$6 + 10 =$ 16

8	9	10
18	19	20

$9 + 10 =$ 19

칸토 쌤 | 10 큰 수를 기초로 하여 더하기 10을 계산하는 문제예요. 동전과 수 배열표 2가지 방법으로 구해 보고, 어느 정도 능숙해지면 덧셈식을 보고 구할 수 있게 유도해 주세요.

46 4주 / 47

48쪽 · 49쪽

3일 빼기 10

동전을 보고 빼기 10을 계산하세요.

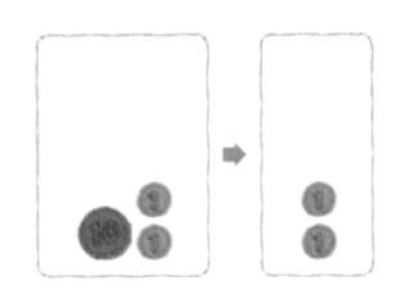

12 − 10 = 2

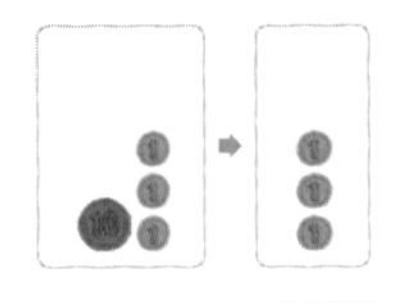

13 − 10 = 3

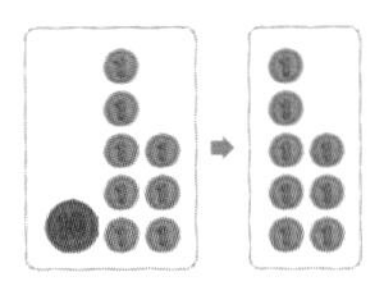

18 − 10 = 8

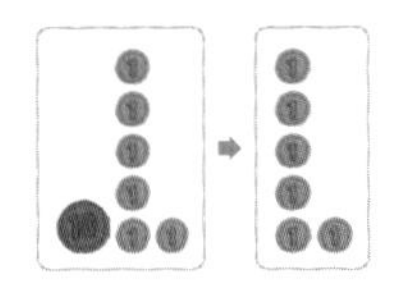

16 − 10 = 6

10 작은 수를 쓰고, 빼기 10을 계산하세요.

4	5	6
14	15	16

빼기 10은 10 작은 수야.

15 − 10 = 5

1	2	3
11	12	13

11 − 10 = 1

6	7	8
16	17	18

17 − 10 = 7

8	9	10
18	19	20

20 − 10 = 10

칸토 쌤 | 10 작은 수를 기초로 하여 빼기 10을 계산하는 문제예요. 동전과 수 배열표 2가지 방법으로 구해 보고, 어느 정도 능숙해지면 뺄셈식을 보고 구할 수 있게 도와주세요.

48 4주 · 49

50쪽 · 51쪽

4일 더하기 10, 빼기 10

관계있는 것끼리 선으로 이으세요.

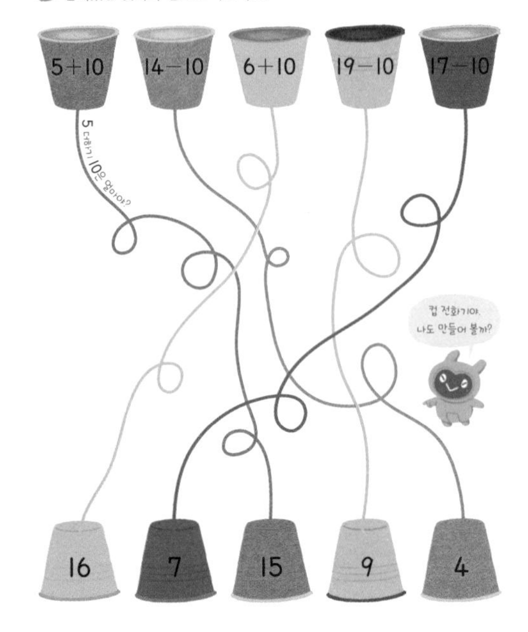

계산을 하세요.

3 + 10 = 13

16 − 10 = 6

11 − 10 = 1

9 + 10 = 19

4 + 10 = 14

18 − 10 = 8

$$\begin{array}{r} 15 \\ -\,10 \\ \hline 5 \end{array} \qquad \begin{array}{r} 2 \\ +\,10 \\ \hline 12 \end{array} \qquad \begin{array}{r} 20 \\ -\,10 \\ \hline 10 \end{array}$$

50 4주 · 51

52쪽 · 53쪽

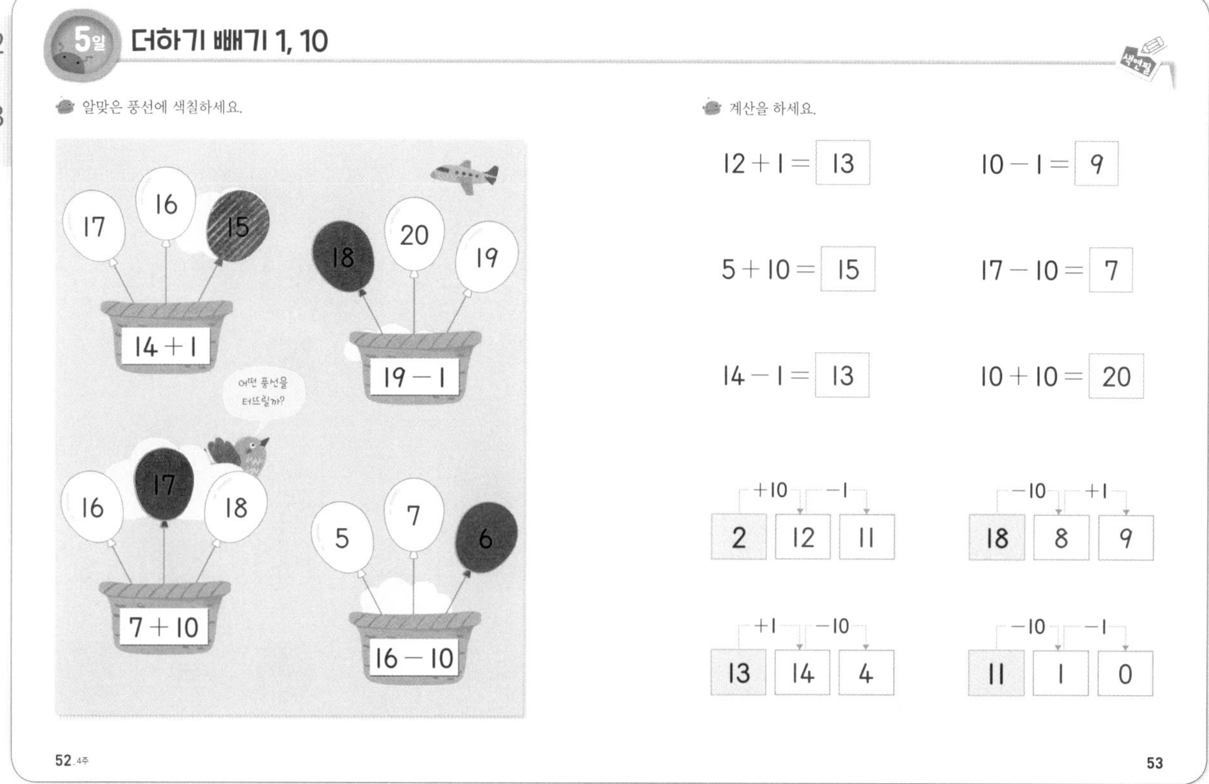

54쪽 · 55쪽

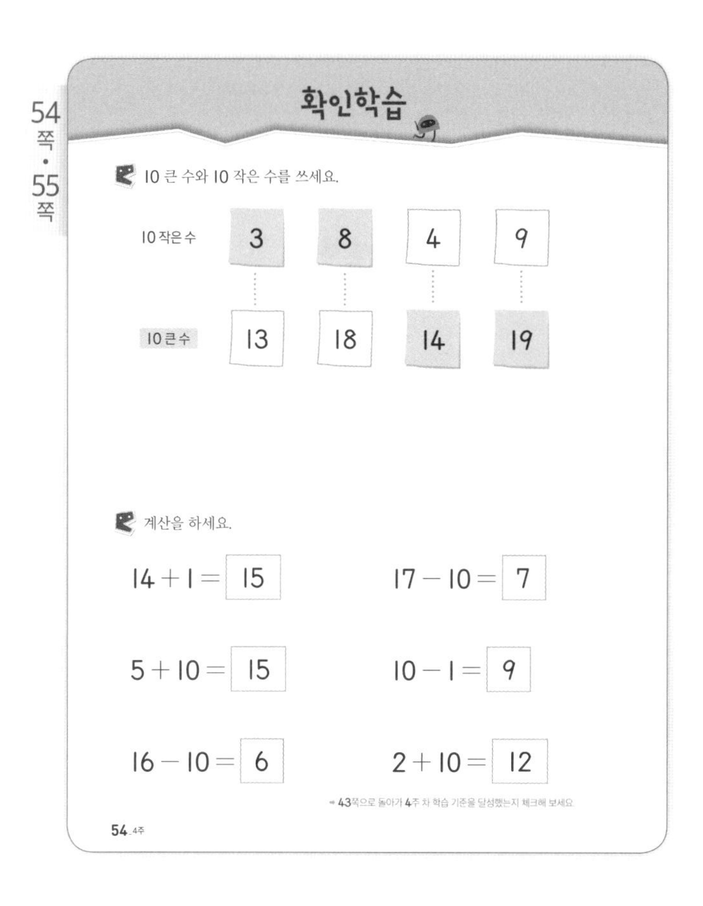

마무리 평가

56쪽 · 57쪽

마무리 평가 1회

맞은 개수 개 (9개)

수를 차례로 쓰세요.

❶

11	12	13	14	15
십일	십이	십삼	십사	십오
16	17	18	19	20
십육	십칠	십팔	십구	이십

작은 수부터 차례로 빈칸에 알맞은 수를 쓰세요.

❷

1	2	3	4	5	6	7	8	9	10
11	12	13	14	15	16	17	18	19	20

1 작은 수와 1 큰 수를 쓰세요.

	1 작은 수		1 큰 수
❸	13	14	15
❹	9	10	11
❺	16	17	18

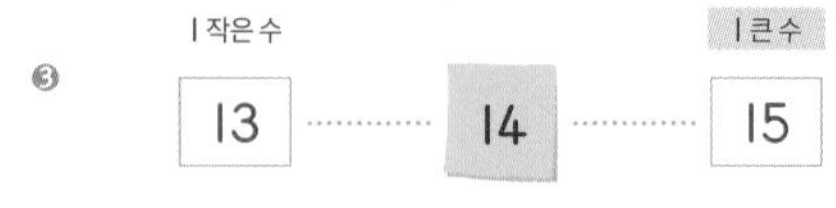

10 큰 수와 10 작은 수를 쓰세요.

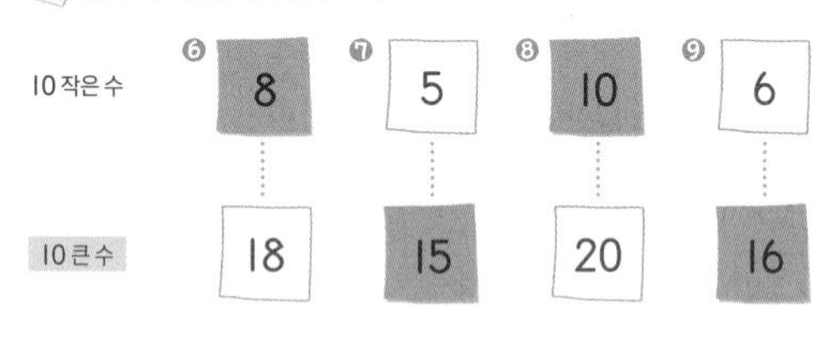

	❻	❼	❽	❾
10 작은 수	8	5	10	6
10 큰 수	18	15	20	16

58쪽 · 59쪽

마무리 평가 2회

맞은 개수 개 (8개)

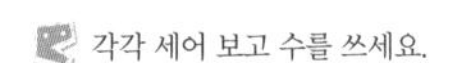

각각 세어 보고 수를 쓰세요.

❶ 12

❷ 17

작은 수부터 차례로 쓴 것입니다. 잘못 쓴 것에 ×표 하세요.

❸ 9 10 13(×) 11 12

❹ 15 16 17 18 20(×)

○ 하나를 더 색칠하고, 더하기 1을 계산하세요.

❺

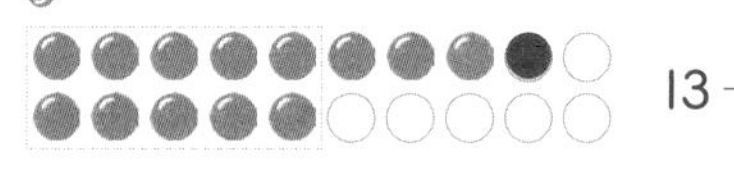

$13 + 1 = 14$

❻ $18 + 1 = 19$

동전을 보고 더하기 10을 계산하세요.

❼ $4 + 10 = 14$

❽

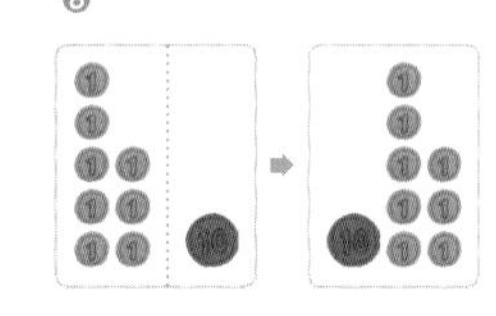

$8 + 10 = 18$

60쪽 · 61쪽

마무리 평가 3회

맞은 개수 개 (8개)

10개씩 묶고 수를 세어 보세요.

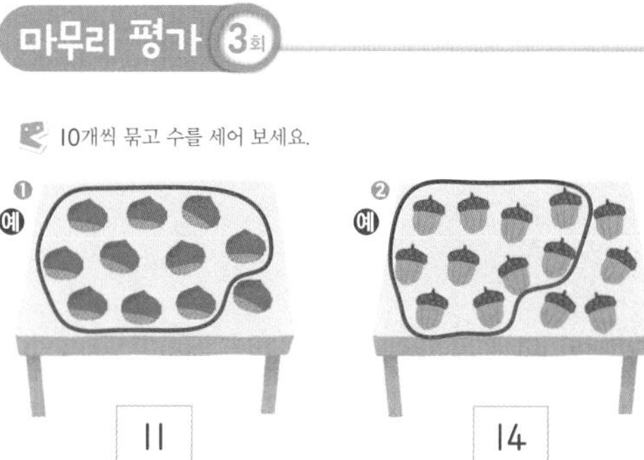

❶ 예 11

❷ 예 14

20부터 11까지 수를 거꾸로 이어 미로를 빠져 나가세요.

❸

20	19	18	17
18	17	14	16
12	13	14	15
11	14	12	13

❹

15	17	18	17
15	16	19	20
14	13	12	18
11	14	11	12

1 작은 수를 쓰고, 빼기 1을 계산하세요.

❺ 12 13 14

$13-1=$ 12

❻ 17 18 19

$18-1=$ 17

10 작은 수를 쓰고, 빼기 10을 계산하세요.

❼

1	2	3
11	12	13

$12-10=$ 2

❽

5	6	7
15	16	17

$16-10=$ 6

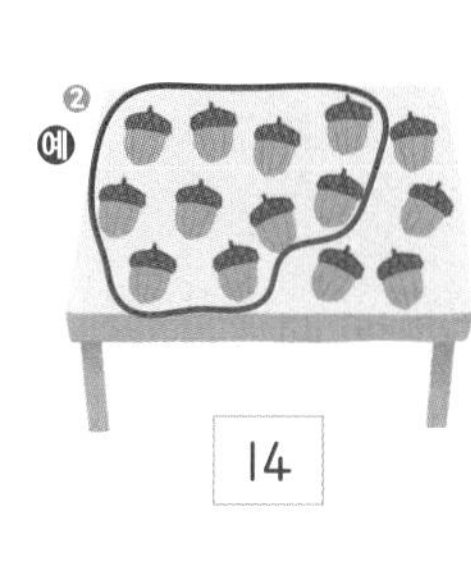

62쪽 · 63쪽

마무리 평가 4회

맞은 개수 개 (8개)

금액을 쓰고 10 동전을 이용하여 바꾸어 붙이세요.

❶ 13 원

주어진 수를 큰 수부터 차례로 쓰세요.

❷ 16 - 15 - 14 - 13

❸ 20 - 19 - 18 - 17

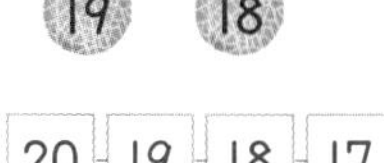

바르게 계산한 길을 따라 선을 그으세요.

❹

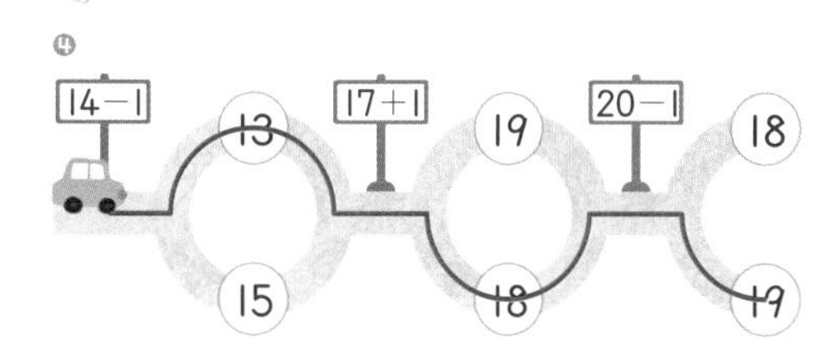

계산을 하세요.

❺ $7+10=$ 17

❻ $15-10=$ 5

❼ $11-10=$ 1

❽ $6+10=$ 16

64쪽·65쪽

마무리 평가 5회

맞은 개수 개 (9개)

얼마일까요?

❶ 12 원

❷ 17 원

알맞은 식을 찾아 색칠하세요.

❹

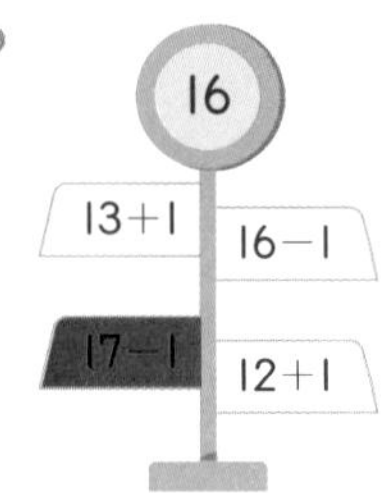

❺
19
17−1
20+1
18−1
18+1

사물함에 번호가 빠졌어요. 규칙에 맞게 빈 곳에 알맞은 수를 쓰세요.

❸

17	13	9	5	1
18	14	10	6	2
19	15	11	7	3
20	16	12	8	4

계산을 하세요.

❻ $15-1=$ 14

❼ $8+10=$ 18

❽ $12-10=$ 2

❾ $14+1=$ 15

실력 평가 ➡ 67쪽

68쪽

칸토의 연산 6세 3권 실력 평가

❶ $6+1=7$

❷ $15+1=16$

❸ $12+1=13$

❹ $19+1=20$

❺ $14+1=15$

❻ $1+10=11$

❼ $6+10=16$

❽ $3+10=13$

❾ $7+10=17$

❿ $10+10=20$

⓫ $8-1=7$

⓬ $13-1=12$

⓭ $16-1=15$

⓮ $11-1=10$

⓯ $20-1=19$

⓰ $17-10=7$

⓱ $12-10=2$

⓲ $15-10=5$

⓳ $14-10=4$

⓴ $19-10=9$

6쪽

16쪽, 32쪽, 44쪽, 62쪽

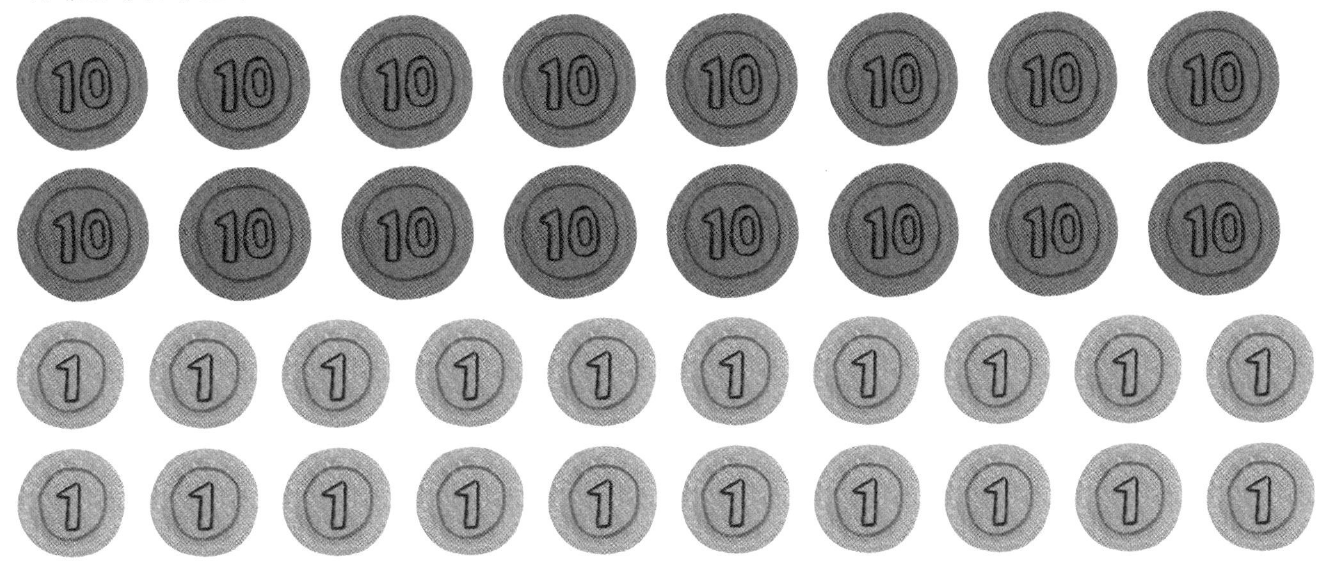

28쪽

1	2	3	4	5	6	7	8	9	10
11	12	13	14	15	16	17	18	19	20
1	2	3	4	5	6	7	8	9	10
11	12	13	14	15	16	17	18	19	20